Strade blu

Aldo Cazzullo

A RIVEDER LE STELLE

Dante, il poeta che inventò l'Italia

MONDADORI

Dello stesso autore
in edizione Mondadori

I ragazzi di via Po
I ragazzi che volevano fare la rivoluzione
Il caso Sofri
I grandi vecchi
Outlet Italia
L'Italia de noantri
Viva l'Italia!
La mia anima è ovunque tu sia
L'Italia s'è ridesta
Basta piangere!
La guerra dei nostri nonni
Le donne erediteranno la terra
L'intervista
Giuro che non avrò più fame

con Edgardo Sogno
Testamento di un anticomunista

con Vittorio Messori
Il mistero di Torino

con Angelo Scola
La vita buona

con Francesco e Rossana Maletto Cazzullo
Metti via quel cellulare

con Fabrizio Roncone
Peccati immortali

🅜 librimondadori.it

A riveder le stelle
di Aldo Cazzullo
Collezione Strade blu

ISBN 978-88-04-73227-3

© 2020 Mondadori Libri S.p.A., Milano
I edizione settembre 2020

Anno 2020 - Ristampa   6 7

Indice

A riveder le stelle

La Divina Commedia è il più bel libro scritto dagli uomini.

JORGE LUIS BORGES

Se con la lettura della Divina Commedia raggiungessimo lo scopo di stimarci un po' di più, sarebbe una gran cosa.

FRANCO NEMBRINI

Dante ama una donna che non c'è più e una patria che non c'è ancora. Una patria che – oggi noi lo sappiamo – nasce con lui.

L'Italia ha questo di straordinario, rispetto alle altre nazioni. Non è nata dalla politica o dalla guerra. Non da un matrimonio dinastico, non da un trattato diplomatico. È nata dalla cultura e dalla bellezza. Dai libri e dagli affreschi. È nata da Dante e dai grandi scrittori venuti dopo di lui: Petrarca, che da piccolo ebbe la fortuna di incontrarlo; Boccaccio, che per primo definì la Commedia «Divina» e la lesse in pubblico. È nata da Giotto, che Dante cita nel Purgatorio, e che forse incontrò mentre affrescava nella Cappella degli Scrovegni il Giudizio universale, con i sommersi e i salvati. E l'Italia è nata dagli altri artisti che da Dante furono ispirati nel ritrarre il Bene e il Male, il Paradiso e l'Inferno, la grandezza dell'uomo e l'abisso della sua perversione.

Dante non è soltanto il padre della lingua italiana. Una lingua che si è mantenuta fresca e viva grazie a lui e ai suoi seguaci, anche se per secoli nella vita quotidiana fuori da Firenze non l'ha parlata nessuno; quasi come l'ebraico, la lingua della Bibbia che gli ebrei non hanno praticato per millenni, fino a quando non sono tornati nella Terra Promessa. Accade a volte che una lingua sia plasmata, salvata e mantenuta viva da un libro: per noi, la Divina Commedia.

Dante è anche il padre dell'Italia. Un nome che ripete quasi ossessivamente, fin dal primo canto del suo poema. Dante non pensa a uno Stato italiano, che sarebbe nato solo 540 anni dopo la sua morte. Per lui il potere politico è l'Impero, e il capo è l'imperatore; mentre il Papa deve essere un'autorità spirituale; come è diventato ora. Per Dante, l'Italia è un sogno. Un paradigma di cultura e di bellezza. Ma non è un'entità astratta; è carne, è sangue, è terra. L'Italia è una montagna scoscesa, una collina dolce, un mare agitato, dalla Provenza al golfo del Quarnaro. È il Bel Paese, definizione inventata da lui. Il Paese in cui si dice «sì». Unito dalla fede cristiana e dall'amore per il bello. L'Italia è l'erede della grande cultura latina, della Roma imperiale, cantata dal poeta che Dante venera come maestro e che lo condurrà fuori dall'Inferno e dal Purgatorio: Virgilio. E Virgilio lo affiderà a Beatrice, la donna che Dante ama anche se non l'ha mai avuta, non l'ha mai baciata, forse non ha mai potuto neppure rivolgerle la parola. Una donna che simboleggia tutte le donne amate.

Anche per questo siamo tutti figli e nipoti di Dante. L'unico scrittore italiano che ha davvero un respiro universale, che è conosciuto ovunque. Noi abbiamo la fortuna di parlare la sua stessa lingua. Di poter seguire le orme del suo viaggio attraverso il nostro Paese, sino ai confini di ciò che è in noi.

Perché la Divina Commedia può essere letta come un viaggio in Italia. E anche come un viaggio iniziatico. Come la ricerca del Graal, della salvezza, di Dio.

4

Ma, prima di salire, si deve scendere. Si deve provare tutto il dolore degli umani, piangere tutte le lacrime del mondo. Sentire la fiamma del peccato e della punizione sulla propria pelle; come tante volte è accaduto agli italiani nella storia, che non è fatta di vittorie militari e di passeggiate trionfali ma di tribolazioni, miseria, sacrifici, epidemie; cui ogni volta è seguita la rinascita.

Per questo è una storia che può soltanto finire bene.

Uno

Italia, fin dal primo canto

Dove Dante si perde la notte del venerdì santo
e ritrova un antico poeta

Dante si mette in viaggio per l'aldilà nella primavera del 1300, la notte del venerdì santo (qualcuno dice il 25 marzo, altri il 7 aprile). Sceglie questa data perché è la più solenne della sua vita.

Il cambio di secolo appare una svolta della storia. Si celebra il primo Giubileo, indetto da un Papa che Dante disprezza, in una città, Roma, che definisce spietatamente il luogo «dove Cristo tutto dì si merca», dove tutto il giorno si fa mercato di Cristo; eppure da Roma è attratto, la considera il centro della vicenda umana, la venera non come un agglomerato di case e di strade ma come un'Idea, una patria morale.

Dante chiarisce subito che non parla soltanto di sé. Il viaggio comincia «nel mezzo del cammin di nostra vita», dove la parola chiave è «nostra». Dante sta parlando anche di noi. Suoi lettori, suoi simili, suoi compatrioti. La sua storia è la nostra. Ci interessa, ci riguarda. Sentiamo Dante talmente vicino che non lo chiamiamo per cognome, come tutti gli altri scrittori, ma per nome, anzi per diminutivo (si chiamava in realtà Durante, forse come il nonno materno). Il suo è un viaggio nella profondità di noi stessi. È la storia di tutti coloro che hanno letto, leggono e leggeranno la Divina Commedia.

L'autore avverte la forza mistica della settimana santa. E si sente al culmine delle proprie energie. È nel pieno degli anni. Sta per raggiungere l'apice della carriera politica, con la nomina a priore della sua città, Firenze. Eppure non è felice.

Non è chiaro cosa l'abbia spinto in una selva oscura. Non lo sa neppure lui. Era «pien di sonno», nel dormiveglia, incapace di distinguere il bene dal male. La sua angoscia può essere il rimorso per un peccato commesso. L'insoddisfazione per un progetto fallito. Il presentimento del terribile dolore che l'attende: l'esilio. La lontananza della donna e delle cose che ama. Ma dopo la notte passata nell'oscurità della foresta, vede davanti a sé un colle, illuminato dai raggi del primo sole, al «principio del mattino», mentre ancora si intravedono le stelle della costellazione dell'Ariete. È l'inizio della primavera, stagione in cui – lo insegnava Brunetto Latini, il suo maestro – era stato creato il mondo. Dante vorrebbe salire in cima alla collina, per lasciarsi la selva alle spalle; ma il suo cammino è impedito da tre fiere.

Da secoli si discute su cosa simboleggino la lonza dal pelo maculato, il leone dalla fame rabbiosa, la lupa che nella sua magrezza sembra carica di tutte le bramosie umane. Sono animali familiari a Dante. Una lonza – che poi sarebbe una lince – era tenuta in gabbia a Firenze nel 1285 presso il Palazzo del Comune; il leone era scolpito un po' dappertutto; e i lupi non mancavano sulle montagne dell'Appennino. Probabilmente le tre belve evocano tre diverse passioni di cui l'uomo può essere prigioniero: il sesso, il potere, il denaro. Passioni che ci distolgono dall'amore, dalla giustizia, dalla legittima affermazione di noi stessi.

Dante è costretto a indietreggiare verso la selva. E qui accade il miracolo: gli viene incontro a soccorrerlo un uomo che pare «fioco» per il lungo silenzio, poiché non parla da secoli. Un uomo vissuto più di milletrecento anni prima, le cui opere però sono vive; tanto più per Dante, che lo considera il vertice della poesia di ogni tempo.

«*Miserere* di me» gli grida. La prima parola che il Dante personaggio pronuncia nel poema è un'invocazione disperata, una preghiera: abbi pietà di me. E Virgilio, per tranquillizzarlo, si presenta. Per prima cosa, parla dei suoi genitori: «lombardi», più precisamente «mantoani». Cioè Virgilio non parla subito di Giulio Cesare, di Ottaviano Augusto, degli «dèi falsi e bugiardi», di Enea, di Anchise, della guerra di Troia, insomma del suo capolavoro, l'Eneide. Ne parlerà dopo. Subito cita la Lombardia, e Mantova.

Colpisce che Dante parli di Lombardia, parola che a noi appare familiare, ma che a quei tempi non definiva una regione o uno Stato. Definiva però una parte d'Italia particolarmente industriosa: in generale il Nord, visto che Cecco Angiolieri, per prendere in giro Dante al tempo dell'esilio, scrive che è diventato lombardo, anche se lui in quel momento vive a Verona. Ma la cosa più importante è che – secondo Dante – ai tempi di Giulio Cesare e della nascita di Virgilio, prima ancora di Cristo, esisteva già la Lombardia.

Virgilio oggi è anche il nome di un motore di ricerca. «Fare da Virgilio» si dice per indicare una guida e un maestro. L'autore dell'Eneide in effetti è qui per accompagnare Dante nel suo viaggio ultraterreno; e spiegargli quel che dovrà affrontare.

Per uscire dalla selva dell'infelicità non potrà salire la collina. Prima dovrà scendere nell'abisso, conoscere le pene eterne dell'Inferno e la dolorosa speranza del Purgatorio. Scalare ora il colle della felicità è impossibile, perché la lupa – vale a dire l'avarizia, la cupidigia, l'egoismo, l'invidia, la discordia – impedisce il cammino; fino a quando non verrà il «veltro» a ucciderla.

Questo è un altro passo su cui i dantisti discutono da sempre e per sempre discuteranno. In realtà il veltro è un simbolo talmente sfocato che può valere per qualsiasi personaggio. Qualcuno ha pensato che Dante voglia alludere a Cangrande della Scala, il signore di Verona, cui dedicherà il Paradiso: in fondo, il veltro è un cane; un cane da caccia. È probabile che la profezia sia volutamente vaga: non indica un condottiero o un tempo preciso, ma la speranza di un riscatto futuro. La cosa importante è che il veltro salverà l'«umile Italia» per cui morirono la vergine Camilla, Eurialo, Turno, Niso.

Tutti e quattro i personaggi evocati da Dante sono eroi dell'Eneide, caduti nella guerra fra Troiani e Latini per la supremazia nel Lazio. Camilla, figlia del re dei Volsci, e Turno, re dei Rutuli, combattono contro i Troiani; tra le cui file milita Niso, che muore per vendicare il suo amico Eurialo, il giovane di splendido aspetto caduto sotto le armi nemiche «come un fiore di porpora reciso dall'aratro, o come un papavero piegato dalla pioggia». Il dettaglio straordinario è che Dante mescola gli opposti eserciti, accomuna i nemici, cita insieme vinti e vincitori: sono tutti popoli che contribuiranno a fare l'Italia.

«Umile» significa infelice. Quando nomina l'Italia, Dante è sempre critico, severo, angosciato. Nel Convivio, la grande opera precedente alla Divina Commedia, l'Italia è definita «misera». Nell'epistola scritta in occasione della visita dell'imperatore Enrico diventa «miseranda». Del resto si criticano le cose che si amano, e che si vorrebbero profondamente diverse. Non è lamento sterile, quello di Dante; è un'invettiva, una denuncia che ha in sé la speranza della rinascita.

L'Italia appare indegna dei trionfi dell'antica Roma e delle sue virtù. La salvezza non è vicina. La profezia è remota, indistinta. Parlare di Italia in termini politici nel 1300 non ha tanto senso. Ogni città fa guerra alla vicina. Non sono passati molti anni dalla rotta di Montaperti, che per i senesi fu una grande vittoria ma per i fiorentini una disgrazia terribile, tanto da tornare spesso nei ricordi di Dante.

Anche per questo l'autore dell'Inferno è indignato. Arrabbiato. Finora per lui scrivere ha significato amare, non odiare. Le sue opere erano rime d'amore. Ora dimostra di saper usare parole dure, che denunciano, che gridano. Ma sempre con l'idea che sia possibile una riscossa, un'ascesa.

Il poeta tornerà sul tema del declino italiano nel sesto canto del Purgatorio. La scena è questa. Virgilio nota un'anima che se ne sta «sola soletta» – una delle tante espressioni di Dante entrate nel linguaggio comune –, e le domanda indicazioni sulla via da percorrere.

Anziché rispondere, l'anima chiede a Virgilio notizie della sua vita, del suo paese. Lui dice una sola parola – di nuovo «Mantua» – e l'ombra lo abbraccia: «Io son Sordello de la tua terra!». È un poeta del Duecento: Sordello da Goito, nato nel borgo sul Mincio, il fiume di Mantova.

Dante è commosso dall'abbraccio tra i due lombardi. E confronta quello spontaneo gesto d'affetto con le sanguinose rivalità che dividono la patria comune. Se gli italiani, presi uno per uno, possono essere la delizia del genere umano, l'Italia tutta insieme può essere un abisso di sofferenza: «Ahi serva Italia, di dolore ostello», nave senza timoniere «in gran tempesta»; non signora di province, ma bordello. L'anima nobile del mantovano Sordello, nel sentire il dolce suono del nome della propria terra, subito fa festa al concittadino Virgilio; eppure i vivi non riescono a stare senza guerra, e si combattono anche coloro che sono racchiusi dentro un unico muro, un solo fossato, una stessa città.

Tra le famiglie italiane implacabilmente rivali, Dante cita i Montecchi di Verona e i Cappelletti di Cremona, a noi più noti come Capuleti: è l'inizio della leggenda di Romeo e Giulietta, a cui Shakespeare darà fama eterna e universale. Ma, quando parla di discordie civili, il poeta finisce sempre nella sua Firenze. Qui i migliori evitano la politica e la vita pubblica, ed emergono persone da poco; le leggi, i governi, i capi cambiano di continuo; un provvedimento deciso a ottobre arriva a stento a metà novembre. Quasi il ritratto dell'Italia di oggi.

Ma chi sono i responsabili del disastro? Dante addita gli uomini di Chiesa, che inseguono il potere temporale. L'imperatore, che si disinteressa di Roma. E persino Gesù, che in terra fu crocefisso per noi: forse «son li giusti occhi tuoi rivolti altrove?». È il solo rimprovero che Dante rivolge al figlio di Dio in tutta la Commedia; e lo fa per amor di patria. Ma forse – si augura – Cristo ha per l'Italia un disegno futuro, di cui noi non ci accorgiamo.

È serva, misera, divisa. Però è l'Italia. È la patria comune di fiorentini e senesi, di genovesi e veneziani, di milanesi e napoletani, di gente che si assomiglia eppure si detesta, e arriverà a chiamare in soccorso lo straniero pur di sconfiggere altri italiani. Dante vive troppo presto per poter concepire l'unità politica del nostro Paese; il suo orizzonte è l'Impero. Ma è un Impero che pacifica, non che comanda. Le libertà comunali per lui sono sacre. Come sono sacre le cose che unificano gli italiani: la cultura, la grande eredità classica, la fede cristiana. E l'arte: una particolare maniera di pensare il mondo, e di raffigurarlo.

Guardiamo il campanile di Giotto, il genio che nasce due anni dopo Dante. È un'opera di architettura: è un campanile. Ma è anche una scultura, perché è scolpito. Ed è una pittura, perché è dipinto. E agli Uffizi si possono vedere Madonne giottesche assise su troni decorati come il campanile; segno che nello stesso stile si facevano anche mobili, oggetti, decorazioni. L'Italia era già il software del mondo: il luogo dove nascevano forme, mode, idee di bellezza. E manca un secolo al Rinascimento, che sarà esportato ovunque.

Poco prima della morte, avvenuta il venerdì santo del 1520, Raffaello scrive – insieme con Baldassarre Castiglione – una lettera a un Papa fiorentino, Leone X, per denunciare l'abbandono in cui versano le vestigia dell'antica Roma. Confida il proprio «grandissimo dolore vedendo quasi il cadavere di quella nobil patria, che è stata regina del mondo, così miseramente lacerato». E chiede al Papa di salvare «quel poco che resta di questa antica madre della gloria e della grandezza italiana». Non dice «romana», Raffaello; dice proprio «italiana».

I versi di Dante sulla patria comune ispireranno i grandi scrittori dei secoli a venire. Giacomo Leopardi scrive a vent'anni un canto «All'Italia», e un altro intitolato «Sopra il monumento di Dante che si preparava in Firenze»:

Volgiti indietro, e guarda, o patria mia,
Quella schiera infinita d'immortali ...
Volgiti e ti vergogna e ti riscuoti,
E ti punga una volta
Pensier degli avi nostri e de' nepoti ..

Anche il giovane Alessandro Manzoni scrive della passata gloria e del possibile riscatto dell'Italia. Prima ancora Ugo Foscolo, in quello stupendo carme politico che sono i «Sepolcri», si era commosso nella chiesa di Santa Croce davanti alla tomba di Vittorio Alfieri: «E l'ossa fremono amor di patria» (ed era dai tempi di Dante che un italiano non scriveva così). Ippolito Nievo, garibaldino, muore a trent'anni tornando dalla vittoriosa spedizione dei Mille, e le sue «Confessioni di un italiano» usciranno postume: «Io nacqui Veneziano ai 18 ottobre del 1775, giorno dell'evangelista san Luca; e morrò per la grazia di Dio Italiano quando lo vorrà quella Provvidenza che governa misteriosamente il mondo».

Ma il primo poeta dopo Dante a scrivere di Italia è Petrarca. A differenza di Boccaccio, che lo adorava, *dispise*

Petrarca fu accusato di invidiare e disprezzare Dante al punto da non possedere nemmeno una copia della Divina Commedia. Proprio a Boccaccio, Petrarca scrive una bellissima lettera, in cui spiega perché non ha mai voluto leggere Dante: per non rischiare di diventarne un imitatore. Assicura però di ammirare e amare l'ingegno e lo stile dell'Alighieri (che probabilmente ha incontrato da bambino a Pisa, alla corte dell'imperatore Enrico). E in ogni caso, «se egli fosse vissuto fino a questo tempo, pochi avrebbe avuto più amici di me» scrive Petrarca; senza dissipare il dubbio che la Divina Commedia l'abbia letta, eccome.

Tutti abbiamo studiato a scuola i suoi versi: «Italia mia, benché 'l parlar sia indarno...». Come Dante, Petrarca invoca per la patria l'aiuto di Dio: «Rettor del cielo, io cheggio/ che la pietà che Ti condusse in terra/ Ti volga al Tuo dilecto almo paese». Meno noto è che, alla vigilia della guerra tra Genova e Venezia, Petrarca scrisse una lettera ai dogi delle due città per scongiurarli di non combattersi. Genova e Venezia erano gli occhi d'Italia: uno guardava a ovest, verso il Tirreno, l'altro a est, verso l'Adriatico; e l'Italia aveva bisogno di entrambi. Entrambi i dogi stracciarono la lettera, senza prenderla sul serio. Eppure un seme era stato gettato.

Due

La donna dagli occhi lucenti

Dove Maria, Lucia, Beatrice e tutte le donne amate
ripagano Dante per il suo amore

Virgilio si offre così di aiutare Dante. È il maestro che
soccorre l'allievo, l'età classica che ispira la modernità. Non gli nasconde che il viaggio all'Inferno sarà tremendo, tra «disperate strida» e «antichi spiriti dolenti»;
fino a quando non verrà in soccorso un'anima più degna, Beatrice, che lo accompagnerà in Paradiso, sin davanti al volto di Dio.

Dante si procura, per affrontare la prova cruciale della
vita, il sostegno dei suoi due grandi amori: la letteratura e la donna. E si appella alle Muse e alla propria memoria, perché gli consentano di ricordare e raccontare:
«O muse, o alto ingegno, or m'aiutate;/ o mente che
scrivesti ciò ch'io vidi,/ qui si parrà la tua nobilitate».

All'inizio del viaggio, però, il poeta ha paura. È il
tramonto, l'ora in cui se ne va il giorno, e tutti si ritirano a riposare. Tutti, tranne lui: «e io sol uno/ m'ap-
parecchiava a sostener la guerra».

Dovrà attraversare tanto dolore. Lo attendono sia la
fatica fisica, sia la sofferenza spirituale. Prima di Dante,
soltanto Enea e san Paolo sono scesi negli Inferi e tornati alla luce vivi: Enea per conoscere il proprio desti-

no; Paolo per consolidare la propria fede e quella degli uomini. Ma il primo è il vero fondatore di Roma, il progenitore dell'Impero. Il secondo è il fondatore del cristianesimo: è stato Paolo, cittadino romano che padroneggia il greco, a dare dignità culturale alla nuova fede, a tradurla nel linguaggio dei dotti, ad armonizzarla con le idee dei filosofi.

Ovviamente i due personaggi, Enea e Paolo, sono collegati. Così come sono collegati i due avvenimenti che Dante considera i più importanti della storia: l'avvento dell'Impero romano e quello della fede cattolica, destinata ad abbracciare l'universo. Roma è un luogo fatale, perché ha conquistato il mondo allora conosciuto, gli ha dato una lingua e una legge; e Roma è un luogo santo, perché vi siede il successore di Pietro. La civiltà cristiana rappresenta la prosecuzione e l'arricchimento della civiltà latina. Qui sta per Dante la missione e l'importanza dell'Italia.

Però lui non è un eroe, né un santo. Allora, perché proprio a lui tocca questa missione grandiosa e terribile?

Qui entra in scena Beatrice, cioè l'amore. Dante è talmente innamorato di lei da immaginare che abbia lasciato il suo posto in Paradiso, per scendere alle porte dell'Inferno e prendersi cura di lui.

Figlia di Folco Portinari, banchiere e vicino di casa di Dante, era morta nel 1290, a ventiquattro anni, forse di parto. Nella «Vita Nuova», Dante racconta di averla vista da bambino, e di averla ritrovata solo nove anni dopo, poco prima del suo matrimonio con un altro banchiere, Simone de' Bardi. Il suo è un amore purissimo. Beatrice per lui è tutta sentimento.

C'è un bellissimo quadro di Dante Gabriel Rossetti, il pittore preraffaellita nato a Londra da una dama inglese e da un italiano esule del Risorgimento, che aveva chiamato il figlio come il suo poeta prediletto. La tela raffigura Dante che osserva un angelo baciare Beatrice morente. È il suo bacio, affidato a una creatura divina.

Qualcuno ha scritto che Beatrice – «colei che rende beati» – non è mai esistita, che è solo una donna immaginaria. Ma non ci si innamora così di un'idea astratta. E la Beatrice che condurrà Dante in Paradiso non è più la donna angelicata delle rime stilnoviste; per quanto sia puro spirito, è una donna di forte personalità, che lo sprona, lo rimbrotta, si fa obbedire; e lo guiderà con amorevole fermezza alla beatitudine e alla pace.

È vero che Dante nella Divina Commedia non ci lascia una descrizione fisica di Beatrice. Non ci dice di quale colore avesse gli occhi e i capelli. La definisce «beata e bella», dalla voce angelica, dagli occhi lucenti più delle stelle.

Beatrice è andata da Virgilio, che stava «tra color che son sospesi», l'ha chiamato «anima cortese mantoana» – di nuovo Mantova –, e gli ha chiesto di soccorrere Dante; in cambio lei parlerà bene di lui a Dio. Virgilio ha subito risposto di sì, e ora descrive Beatrice – «donna di virtù» – con parole bellissime. È grazie alla donna se la specie umana supera qualsiasi cosa contenuta nel cerchio della luna, vale a dire sulla Terra. Sono le donne a muoversi per la salvezza dell'uomo. La donna è il capolavoro di Dio, la meraviglia del creato; e Beatrice, la donna amata, per Dante è la meraviglia delle meraviglie.

L'amore non corrisposto, secondo il poeta, non esiste. Come dirà a proposito di Paolo e Francesca, l'amore non consente a chi è amato di non riamare, anche se in forme diverse da quelle terrene. Per questo Beatrice è accorsa in aiuto a Dante. Anzi, una catena composta da donne si è messa in movimento per trarre in salvo il poeta dalla selva oscura.

Prima una «donna gentile» – che sarebbe Maria, mai nominata nell'Inferno – è andata da Lucia; e le ha chiesto di avvisare Beatrice che Dante rischia la vita, e ha bisogno di lei. Essendo beata, non deve temere le fiamme eterne: l'Inferno non la tange (altra espressione oggi usata da tutti).

Qui, a essere cinici, verrebbe da pensare che il nostro poeta sia un mitomane: immagina che per consentirgli di viaggiare nell'aldilà si muovano la Madonna, santa Lucia, Beatrice e Virgilio. E in effetti Dante ha una certa considerazione di se stesso: si dirà convinto che al suo poema abbiano messo mano sia il Cielo sia la Terra. Benché usi una lingua modernissima, più moderna di tanti letterati a noi vicini, è pur sempre un uomo del Medioevo. È devoto a santa Lucia, protettrice della vista, perché le attribuisce la guarigione dalla malattia agli occhi che l'ha fatto soffrire in gioventù. La Madonna è la regina di un mondo ultraterreno che Dante non percepisce come vago, irreale o comunque misterioso, ma come concreto, tangibile, razionale; un mondo che ci attende dietro l'angolo, e che in qualche modo può comunicare con noi. I morti non sono morti per sempre. Sono come erano da vivi. E il modo per parlare con loro è l'amore.

È stato l'amore per Beatrice a far uscire Dante dalla «volgare schiera», a ispirare i suoi versi più belli, a

19

consentirgli ora di mettersi in cammino per l'oltretomba; e di cominciare a scrivere la Divina Commedia.

Quando scopre che Beatrice si è mossa per lui, Dante si risolleva, come un fiore chiuso e chino per la notte si rialza alla luce del sole. Il pensiero di rivedere la donna amata gli dà vigore e coraggio. Al seguito di Virgilio, imbocca un sentiero scosceso. E si trova davanti la Porta dell'Inferno.

Tre

Nell'eterno dolore

Dove Dante e Rodin scolpiscono insieme la Porta dell'Inferno,
e si rimprovera il Papa che diede le dimissioni

«Lasciate ogne speranza, voi ch'intrate» è forse il verso
più famoso della letteratura italiana. È diventato uno
striscione da stadio, per incutere timore ai tifosi ospiti. L'hanno scritto generazioni di studenti all'ingresso
della scuola per spaventare le matricole. Sono parole
entrate nel lessico quotidiano, tanto da aver perso il
loro significato terrifico.

Siamo ormai disabituati al «per sempre», rassegnati
all'idea che tutto finisca: amori, matrimoni, lavori, amicizie. «Domani ci accorgeremo che non ritorna mai più
niente, ma finalmente accetteremo il fatto come una vittoria» canta Francesco De Gregori: le cose non restano
e non si ripetono, «svanire/ è dunque la ventura delle
venture», è la sorte delle sorti, scrive Eugenio Montale.

Dante, no. Per Dante l'Inferno è eterno, e in eterno dura. È stato creato dalla potenza del Padre, dalla
sapienza del Figlio e dalla carità dello Spirito Santo.
È espressione della suprema giustizia di Dio; e della giustizia fa parte anche la punizione del peccatore.
Così, nell'affresco del Buon Governo che Ambrogio
Lorenzetti completò nel Palazzo comunale di Siena nel

1339, diciotto anni dopo la morte del poeta, la Giustizia regge una spada e ha in grembo la testa mozzata di un condannato a morte. Il castigo del reo non è considerato una crudeltà, ma il modo di ristabilire l'armonia e la convivenza civile, di proteggere i deboli e le vittime; anche in forme che a noi moderni, giustamente, ripugnano.

L'Inferno però è stato fatto anche dal «primo amore», dalla carità divina. I peccatori vi sono puniti ma, per quanto ridotti a ombre sofferenti, restano in qualche modo vivi. Vivi per continuare a soffrire, per ammonire gli altri, per espiare i peccati; ma vivi. E se alcuni rimangono esseri spregevoli, e come tali Dante li raffigura – vedremo come tratterà il suo nemico Filippo Argenti –, altri ci sembrano nostri simili, ci inducono a piangere per la loro sorte; e li sentiamo vicini più dei santi, degli arcangeli, dei personaggi beati e per questo eterei.

La Porta dell'Inferno ha ispirato molti artisti, tra cui il più grande scultore dell'Ottocento: Auguste Rodin. Rodin lavorò per trentasette anni alla sua versione della Porta, senza riuscire a finirla. La Divina Commedia era diventata per lui un'ossessione: «Dante non è solamente un visionario e uno scrittore; è anche uno scultore – ha scritto. – La sua parola è lapidaria, nel senso buono del termine. Quando descrive un personaggio, lo rappresenta solidamente, con i gesti, con le pose … Ho vissuto un intero anno con Dante, vivendo di nulla se non di lui e con lui».

Rodin si ispirò alla Porta che Lorenzo Ghiberti aveva scolpito per il Battistero di Firenze, che Michelangelo definì – anche per contrappasso rispetto alla Divina Commedia – Porta del Paradiso. Rodin ritrasse

Dante nella veste del pensatore, con il pugno a sostenere la testa. E poi Adamo ed Eva, il conte Ugolino, Paolo e Francesca, e altri personaggi che incontreremo. Morì d'influenza nel novembre 1917, nei giorni più duri della Grande Guerra. Non riuscì mai a fondere la Porta dell'Inferno; ma dai calchi furono tratte riproduzioni in gesso, ora esposte nei più importanti musei del mondo. E la Porta di Rodin compare anche nel videogioco «Dante's Inferno»: come entrata dell'oltretomba.

Dante, quello vero, non poteva ovviamente sapere tutto questo, quando descriveva l'ingresso del regno dei morti. I teologi moderni sono arrivati a supporre che l'Inferno possa essere vuoto, che Dio possa aver perdonato tutti, anche i peggiori criminali. Ma per il poeta l'Inferno si vede, si tocca, si sente.

Il cielo non ha stelle, l'aria è scura. Il tempo pare non esistere più. Virgilio prende Dante per mano, per fargli coraggio. Non si vede quasi nulla, ma si sente tutto: «Sospiri, pianti e alti guai», «diverse lingue, orribili favelle,/ parole di dolore, accenti d'ira,/ voci alte e fioche, e suon di man con elle...».

Sono gli ignavi: uomini che vissero senza infamia e senza lode. La morte per loro è una speranza vana, perché non sono mai stati davvero vivi: non hanno lasciato traccia di sé, e il mondo li ha dimenticati. Non hanno scelto, non si sono indignati di fronte al male; e ora sono invidiosi di qualsiasi altra sorte.

Siccome ogni anima dannata è punita in base al proprio peccato, per la legge del contrappasso gli ignavi – pungolati da vespe e mosconi, il volto rigato da sangue e lacrime – sono costretti a inseguire affannosamente un'insegna, un vessillo, un simbolo che si muove di continuo; e sono talmente numerosi da far sembrare impossibile che la morte abbia disfatto tanti esseri umani. Dante non si ferma a parlare con nessuno di loro. Virgilio chiude il discorso con un verso definitivo, che ancora oggi ci suona familiare: «Non ragioniam di lor, ma guarda e passa». Sono le parole con cui ci accade di liquidare non tanto i nostri nemici, quanto le persone banali, che non consideriamo degne di attenzione: l'odiatore dei social, l'automobilista che ci manda a quel paese, lo stolto che pur avendo torto pretende di aver ragione, lo sciocco che ci arreca un danno senza trarre vantaggio per sé.

Ignavo oggi è sinonimo di imbelle, di mediocre. In realtà, Dante colloca tra loro figure drammatiche. Ci sono gli angeli che quando Lucifero si ribellò non si schierarono né con lui, né con Dio: per questo non li vuole nessuno, né il Cielo, né l'Inferno profondo; e spiacciono a tutti, al Signore e ai suoi nemici. E c'è un personaggio celeberrimo: «Colui che fece per viltade il gran rifiuto».

Dante non fa nomi. Qualcuno ha pensato a Pilato. Quasi certamente, però, il «vile» è Pietro da Morrone, che divenne Papa con il nome di Celestino V e rinunciò al pontificato.

I contemporanei capirono benissimo il riferimento, e qualcuno si scandalizzò. Perché Celestino era considerato un santo, anzi era stato fatto santo nel 1313. In quell'anno, però, Dante aveva già scritto l'Inferno; e in ogni caso nei suoi giudizi non si ritiene mai legato alle indicazioni della Chiesa o del mondo: il poeta è arbitro della salvezza e della dannazione dei suoi personaggi. E Papa Celestino è collocato all'Inferno, anche se in vita fu molto amato.

Undicesimo di dodici figli, chiamato da Dio fin da ragazzo, viveva come un eremita in una grotta del monte Morrone, sopra Sulmona, in Abruzzo. Andò a Roma per diventare sacerdote, ma dopo un anno tornò sulla sua montagna, dove fondò una congregazio-ne monastica, un ramo dei benedettini. Poi cercò una solitudine ancora più estrema, sulla Maiella. Da qui scese solo per andare a piedi al Concilio di Lione, per scongiurare Papa Gregorio X di non sciogliere il suo ordine. Era insomma considerato un pazzo di Dio, un uomo fuori dal mondo.

Fino a quando, nell'aprile 1292, non si aprì uno dei conclavi più incerti e lunghi nella storia della cristianità. I cardinali erano soltanto dodici, come gli apostoli, divenuti undici quando il francese Jean Cholet morì di peste; però le rivalità interne all'aristocrazia romana impedivano qualsiasi accordo. Due cardinali erano della famiglia Colonna; tre appartenevano agli Orsini; ma l'uomo forte era Benedetto Caetani. Dopo due anni di inutili discussioni, il re di Napoli Carlo II d'Angiò, avendo bisogno di un Papa che ratificasse il suo trattato di pace con gli Aragonesi, fece irruzio-ne nel conclave per indurre i cardinali a decidersi; ma Caetani si levò indignato, e lo mise alla porta.

Fu allora che Pietro da Morrone, dall'alto della sua montagna, predisse «gravi castighi» se il nuovo Ponte-fice non fosse stato scelto alla svelta. «Eleggiamo lui» propose Caetani, nella speranza di poterlo manovra-re. Gli altri obiettarono che un eremita del tutto privo di esperienza politica non poteva fare il Papa; ma alla fine si lasciarono convincere e il 5 luglio 1294, dopo ventisette mesi, scelsero Pietro, che assunse il nome di Celestino V.

Uno dei messi che salirono alla grotta per dargli la notizia si trovò di fronte «un uomo vecchio, con una rozza tonaca, attonito ed esitante per così grande novità...». Lui pianse, si prostrò davanti agli ambasciatori, quindi pregò a lungo. Carlo d'Angiò, che accolse l'elezione di un qualsivoglia Papa come un successo personale, si precipitò sul monte Morrone, caricò il nuovo Pontefice su un asino, afferrò le briglie e lo portò di persona all'Aquila; qui fu incoronato nella splendida basilica di Collemaggio, dove oggi è sepolto.

Il papato dell'eremita fu un disastro. Non parlava latino e impose l'uso del volgare, che i prelati stranieri non capivano. Non osava dire di no a nessuno, per cui affidava la stessa carica a più persone. Divenuto ostaggio di re Carlo, che se lo portò a Napoli e lo chiuse in una stanzetta del Maschio Angioino, Pietro cominciò a pensare alle dimissioni. Ma un Papa poteva rinunciare all'incarico? Il cardinale Caetani gli fece coraggio: certo che poteva.

Il 13 dicembre 1294, dopo cinque mesi, Celestino V si dimise, «al fine di recuperare la tranquillità perduta», per la disperazione di Carlo d'Angiò. Invano i fedeli, attoniti, organizzarono imponenti processioni per implorarlo di cambiare idea.

Undici giorni dopo, Benedetto Caetani veniva eletto Papa con il nome di Bonifacio VIII. Come prima cosa, mise sotto custodia il predecessore; e quando tentò di fuggire verso Brindisi, dove avrebbe voluto imbarcarsi per la Grecia, Bonifacio lo fece catturare e chiudere in un castello di sua proprietà, a Fumone, in Ciociaria.

Pietro morì quasi subito, esausto, dopo aver celebrato la sua ultima messa. Il nuovo Pontefice si lavò l'anima avviando il processo di canonizzazione, per farlo santo subito.

Lo scandalo fu enorme. Jacopone da Todi, frate francescano e poeta, aveva scritto versi sferzanti sul dimissionario: «Que farai, Pier dal Morrone? ... Quanno l'omo vertuoso/ è posto en loco tempestoso,/ sempre 'l trovi vigoroso/ a portar ritto el confalone»: l'uomo virtuoso non rinuncia a tenere alto il gonfalone, che assomiglia molto all'«insegna» inseguita dagli ignavi nell'Inferno di Dante. Ma Jacopone odiava soprattutto Bonifacio. Si schierò con i Colonna, che tentavano di invalidarne l'elezione. Gettato in carcere, rispose alla sentenza di scomunica – «prefazio» – con versi sferzanti, in cui arrivava a sfidare il Pontefice a duello:

O papa Bonifazio,
eo porto el tuo prefazio
e la maledezzone
e scommunicazione.
Co la lengua forcuta
m'hai fatta esta feruta...

Anche Dante odiava Bonifacio. Nell'autunno del 1301 era stato mandato dal Comune di Firenze a Roma come ambasciatore, con altri due delegati, il Corazza da Signa e Maso di Ruggierino Minerbetti. Il Papa li aveva fatti attendere a lungo, poi aveva rimandato indietro i colleghi di Dante e trattenuto soltanto lui. Il poeta lo considerò un privilegio; era una trappola. Occorreva tenere lontano da Firenze un uomo ammirato e capace di farsi valere con la parola, per dare tempo ai suoi nemici di prendere il potere in città.

Sarà Dante stesso, lungo il viaggio ultraterreno, a raccontare la trama di Bonifacio VIII, la rovina di Firenze, l'esilio, la tragedia che per l'intera Italia rappresentarono i fatti del 1301. Degli ignavi, invece, non vuole più parlare. «Non ragioniam di lor, ma guarda e passa.»

Ora il poeta avverte la necessità di dare uno strappo alla narrazione, di alzare il livello del racconto, e mette in scena una figura, quella sì, memorabile: Caronte, «un vecchio, bianco per antico pelo».

Caronte, il traghettatore delle anime, non è un personaggio della cristianità, ma della classicità. Dante lo descrive quasi con le stesse parole con cui lo mette in scena Virgilio nell'Eneide: «Orrendo nocchiero, a cui una larga canizie invade il mento, si sbarrano gli occhi di fiamma, mentre un sordido mantello gli penzola dalle spalle».

Caronte intuisce che Dante è vivo, non è destinato all'Inferno, e tenta di allontanarlo. Ma Virgilio gli ordina di lasciarlo passare, con una formula folgorante, destinata a diventare immortale: «Vuolsi così colà dove si puote ciò che si vuole»; è Dio a volere il viaggio; e per Dio volere è potere. Già nel 1317, quando al poeta restano quattro anni di vita, in un registro bolognese viene citata questa frase: è uno dei primi segni del successo immediato, in tutta Italia, della Divina Commedia.

La scena che si apre sulla riva dell'Acheronte, il fiume infernale, è di tale potenza che Dante trema dal terrore: migliaia di anime nude piangono, bestemmiano Dio e i propri genitori, maledicono la specie umana, il luogo, il momento, il seme del loro concepimento e della loro nascita. All'improvviso si scatena un terremoto; e la terra percorsa dalle lacrime genera un forte vento, da cui si sprigiona un lampo che fa perdere conoscenza al narratore.

Va detto che Dante sviene abbastanza spesso. È un marchingegno letterario, serve a introdurre in modo drammatico un cambio di scena e di tempo: una tecnica che usa anche Shakespeare. Il racconto è talmente denso da richiedere ogni tanto una pausa, che però non allenta mai la tensione, anzi, aumenta l'angoscia che l'incontro con i dannati e lo scenario dell'oltretomba provocano allo scrittore, e di conseguenza al lettore.

Svegliato da un altro tuono, Dante si ritrova sulla soglia del primo cerchio dell'Inferno: il Limbo. Virgilio è pallido, e Dante pensa che sia paura; invece è la pietà a scolorirgli il viso. Nel Limbo ci sono bambini, uomini e donne che non commisero peccati; ma i loro meriti non bastano a salvarli, perché non conobbero Dio.

Anche questa è un'invenzione di Dante. Secondo la dottrina, nel Limbo dovrebbero esserci solo le anime dei piccoli morti senza battesimo. Il poeta invece immagina che vi siano accolti anche i grandi spiriti dell'antichità, in un castello dove conversano di filosofia, scienza, letteratura; con l'unica condanna di vivere nel desiderio, ma senza speranza. L'aspirazione impossibile alla grazia è il loro tormento. È qui che risiede Virgilio. Qui, poco dopo il suo arrivo, ha visto scendere Gesù risorto, a liberare i patriarchi.

La discesa di Cristo al Limbo è un'immagine ricorrente nei mosaici e negli affreschi del tempo di Dante. Gesù abbatte le porte del regno dei morti, e imprigiona il diavolo che le sorvegliava. Poi tende la mano, afferra per il braccio Adamo, il primo uomo, e lo solleva di peso, per portarlo in Paradiso insieme con le altre anime in attesa. Dante immagina che nel Limbo ci siano anche Abele, Noè, Mosè, Abramo, Isacco, Davide, Giacobbe, i suoi dodici figli e Rachele: la donna «per cui tanto fé», per cui Giacobbe tanto si prodigò.

In quattro parole il poeta ha racchiuso una bellissima storia d'amore.

Giacobbe è in fuga. Ha ingannato il padre Isacco, ormai cieco, che l'ha benedetto e ha lasciato l'eredità a lui anziché al fratello maggiore, Esaù. Per sottrarsi alla sua furia, Giacobbe trova rifugio presso lo zio Labano. Vede la più bella tra le sue figlie, Rachele, se ne innamora, e la chiede in moglie. Labano gli risponde di sì; ma prima dovrà lavorare sette anni per lui.

Alla fine il matrimonio viene celebrato, però la sposa come da rituale è velata; appena resta da solo con lei, Giacobbe scopre che dietro il velo non c'è Rachele ma sua sorella, Lia. Protesta con Labano, che risponde secco: gli ha promesso in sposa la figlia, ma non ha specificato quale; anche Lia è sua figlia; se Giacobbe vuole pure Rachele, dovrà lavorare per lui altri sette anni.

Così sarà. Ora Giacobbe ha due mogli. Ma mentre Lia dà alla luce figli uno dopo l'altro, Rachele invece sembra sterile. Allora dice al marito: «Prendi la mia schiava, fai due figli con lei; li alleveremo come se fossero nostri». Lia però si ingelosisce, e chiede a Giacobbe di fare altri due figli pure con la sua schiava.

Finalmente, come per miracolo, Rachele resta incinta, e nasce Giuseppe. Per questo è il più amato da Giacobbe: perché è il figlio della donna che ama. Invidiosi, i fratelli portano Giuseppe nel deserto per ucciderlo; poi, su consiglio di uno di loro, Giuda, lo vendono a una carovana di schiavi diretta in Egitto, e fanno credere al padre che il prediletto sia morto.

Questa parte della storia Dante la conosce bene, anche visivamente. Alla fine del Duecento, nel Battistero di Firenze – il «bel San Giovanni» dove lui stesso è stato battezzato – i mosaicisti sono al lavoro per raffigurare le vite di Gesù, del Battista, e appunto di Giuseppe.

Il giovane ebreo diventa l'uomo di fiducia di Putifarre, alto dignitario egiziano. Sua moglie tenta di sedurlo, lui fugge via, lasciando cadere il mantello; la donna lo raccoglie e lo mostra al marito, accusando ingiustamente Giuseppe di averla molestata. Putifarre in cuor suo forse non le crede, ma deve fingere di crederle; e fa gettare il ragazzo in carcere, nella stessa cella in cui sono rinchiusi il coppiere e il panettiere del faraone.

Entrambi i prigionieri fanno un sogno. Il panettiere portava in testa un carico di pane che veniva beccato dai corvi; il coppiere spremeva l'uva e versava il vino al sovrano. Giuseppe profetizza: il panettiere sarà decapitato; il coppiere tornerà a corte. E così accade.

Anche il faraone ha una visione misteriosa. Sette vacche magre divorano sette vacche grasse; sette spighe rinsecchite inghiottono sette spighe floride. Nessun indovino la sa spiegare. Il coppiere si ricorda allora dell'ebreo che interpreta i sogni: Giuseppe viene liberato e condotto a palazzo. Ci saranno sette anni di abbondanza e sette di carestia, prevede: bisogna costruire silos e immagazzinare grano nel tempo buono, per consumarlo e rivenderlo nel tempo cattivo. Il faraone, impressionato, lo nomina viceré e gli ordina di realizzare il progetto.

Quando la carestia comincia, anche i fratelli di Giuseppe vengono in Egitto a comprare il grano. Lui li riconosce, ma loro non riconoscono lui. Così Giuseppe ha modo di escogitare un piano per metterli alla prova, per vedere se sono cambiati.

Chiede da dove vengono, qual è la loro storia. Scopre così che Giacobbe e Rachele hanno avuto un altro figlio, Beniamino. A quel punto, Giuseppe accusa i fratelli di essere spie, fa arrestare uno di loro, e ordina agli altri di tornare a casa e portare in Egitto il giovane Beniamino, se vogliono avere il frumento.

Disperato all'idea di perdere anche l'altro figlio di Rachele – che nel frattempo è morta –, Giacobbe resiste, ma alla fine acconsente a lasciar partire Beniamino. Quando Giuseppe lo vede, si commuove: nel suo viso ha riconosciuto i tratti della madre. Ma ancora non si fida dei fratelli. Li congeda, dopo aver nascosto la sua coppa d'argento nel sacco di grano di Beniamino, e li fa inseguire dalle guardie. Davanti alla prospettiva che il più piccolo, il nuovo prediletto del padre, il figlio di Rachele finisca in carcere per sempre, i fratelli si disperano; e Giuda, quello che aveva venduto Giuseppe, ora si offre come schiavo, pur di salvare Beniamino.

Soltanto allora Giuseppe rivela la propria identità, perdona i fratelli, li abbraccia, e chiede loro di portare in Egitto anche Giacobbe. I suoi dodici figli saranno i progenitori delle dodici tribù di Israele. Secondo la tradizione ebraica, Giuseppe si fa riconoscere dal vecchio padre citando il versetto della Torah di cui avevano discusso l'ultima volta che si erano visti, tanti anni prima.

Ecco, tutto questo Dante lo evoca con un frammento: cinque sillabe; «per cui tanto fé». Sa di rivolgersi a lettori che conoscono le storie della Bibbia. Le storie che gli artisti hanno raffigurato e scolpito nelle chiese di Firenze e d'Italia.

Quattro

Il castello dei grandi spiriti

Dove Dante conosce Omero, e Platone discute con Aristotele

Dopo l'incontro fugace con i patriarchi, Dante intravede una fiamma dentro un semicerchio di tenebre, dove
vivono anime «onorevoli». Parole derivate da «onore»
ricorrono cinque volte in pochi versi. Il poeta esprime
la sua massima ammirazione per i personaggi che sta
per incontrare; anche se le opere e l'ingegno, senza la
fede, non sono valsi loro la salvezza.

Verso di lui muovono quattro ombre, dall'aspetto né
triste né lieto. Il primo è Omero. Dante non ha potuto leggere le sue opere, se non qualche frammento. Il
Medioevo deve fare quasi del tutto a meno della cultura e della letteratura greca; tranne che di Aristotele.
La riscoperta degli altri testi sarà alla base del Rinascimento; e sarà decisivo l'arrivo a Firenze di Bessarione e
degli altri saggi al seguito dell'imperatore di Bisanzio,
venuto in Italia per riconciliare ortodossi e cattolici,
e chiedere aiuto contro i Turchi. Il tentativo fallirà: le
due Chiese resteranno divise, i Turchi entreranno a
Costantinopoli, l'Impero romano d'Oriente cadrà; ma
l'Occidente si arricchirà di un tesoro.

Dante quindi non ha letto Omero; però sa che è il ca-
postipite dei poeti, e lo raffigura con la spada in mano,
come un re guerriero. Dietro di lui vengono altri tre au-

tori. Sono i prediletti di Dante. Orazio: il poeta dell'attimo fuggente, da cogliere fidando «il meno possibile nel futuro». Ovidio: il poeta morto in esilio, il cantore delle Metamorfosi, di uomini trasformati in piante e di donne che diventano stelle. Lucano: il poeta epico della Pharsalia, il racconto della guerra civile tra Cesare e Pompeo.

Dante adora anche un altro autore latino, Stazio, al punto da immaginare che sia salvo: la misericordia divina l'ha premiato perché soccorse i cristiani perseguitati e chiese il battesimo, sia pure in segreto. Dante lo incontrerà nel Purgatorio, in una scena commovente. Stazio non riconosce Virgilio, ma gli confida che sopporterebbe volentieri un anno di pena in più, se avesse potuto vivere al tempo dell'autore dell'Eneide, che è stata per lui mamma e nutrice. Virgilio fa segno a Dante di tacere, ma Dante non si trattiene, sorride e rivela: il poeta che lo accompagna è proprio lui, Virgilio. Allora Stazio si getta a terra ad abbracciargli i piedi, ma Virgilio lo trattiene: «Tu se' ombra e ombra vedi»; entrambi sono puro spirito, non corpi da stringere.

I grandi poeti affrontano l'Inferno con compostezza e dignità. Omero, Orazio, Ovidio, Lucano, Virgilio fanno un cenno a Dante, che si unisce al gruppo, «sesto tra cotanto senno». Il messaggio non potrebbe essere più chiaro: il padre della lingua italiana è l'erede della tradizione greca e latina. La fede cristiana e la cultura umanista – di cui Dante è il precursore – completano un sistema di valori e di bellezza su cui si fonda la nostra identità nazionale. E per esprimerlo Dante sceglie una lingua nuova, vera, viva: la stessa parlata nei mercati di Firenze.

I poeti ora attraversano un fiumicello camminando sulle acque – altro segno di iniziazione alla vita spirituale –, superano sette cerchie di mura ed entrano in un castello abitato da «spiriti magni», protagonisti del mito e della storia.

In pochi versi, Dante costruisce il suo pantheon. Può sembrare un elenco; è un mondo. In un'aura senza tempo, in una terra di confine tra la cultura classica e quella cristiana, dentro un microcosmo isolato dal bene e dal male, il poeta fa rivivere le grandi anime che intuirono il vero e il giusto, senza poterli raggiungere del tutto, poiché non conobbero Dio; e le immagina conversare tra loro di scienza e di poesia.

Il primo personaggio che si incontra è una donna: Elettra. Zeus si innamorò di lei, e il loro primogenito, Dardano, fu il fondatore di Troia; quando Elettra vide la città in fiamme, volle morire, e fu trasformata in una stella, insieme con le sue sorelle: le Pleiadi. Dante la raffigura accanto ai due più illustri principi troiani, Ettore ed Enea. Una citazione quasi frettolosa. Enea e Virgilio non hanno il tempo di scambiarsi neppure un cenno d'intesa.

Del resto la Divina Commedia ha un ritmo incalzante, un nome si succede a un altro nome, una storia all'altra; e inevitabilmente, raccontando di Dante, si finisce per sottostare alle sue leggi, ai suoi movimenti, alla velocità del suo talento. Basti dire che tra Ettore e Achille, che troveremo tra poco, passano un solo girone dell'Inferno, e pochi versi.

Accanto agli eroi, nel Limbo ci sono due donne combattenti: Pantasilea, la regina delle Amazzoni, che cadde per difendere Troia; e Camilla, la vergine guerriera già nominata nel primo canto, che morì battendosi con gli eserciti italici, contro i Troiani. Qui torna l'idea di Dante: alle origini dell'Italia c'è l'incontro fra gli scampati dall'incendio di Troia e i popoli del Lazio cantati nell'Eneide. Infatti qui vivono anche il re Latino e la figlia Lavinia, data in sposa a Enea per suggellare l'alleanza.

Poi ci sono i grandi della storia di Roma. Cesare dagli «occhi grifagni», come un uccello da preda. Bruto: non l'uccisore di Cesare, che giace in fondo all'Inferno; è il Bruto che cacciò Tarquinio il Superbo. l'ultimo re di Roma, aprendo la via alla Repubblica. E al suo fianco c'è Lucrezia, la nobile romana che si diede la morte dopo essere stata violentata dal figlio di Tarquinio: il suo suicidio fu un gesto estremo di protesta, che accese la rivolta del popolo contro il tiranno. Accanto a lei. altri due esempi della virtù romana: Giulia, la figlia di Cesare; e Cornelia, la madre dei Gracchi.

Ma la cosa straordinaria è che Dante mette tra gli uomini onorevoli anche gli infedeli. Musulmani che al tempo erano considerati nemici. È vero che all'Inferno incontreremo pure Maometto; però qui tra i Grandi ci sono il Saladino, che riconquistò Gerusalemme, senza però spargere il sangue dei cristiani; Avicenna, il padre della medicina moderna; e Averroè, che commentò e tramandò alle generazioni future l'opera di Aristotele.

Per Dante, Aristotele è il più grande filosofo mai esistito. Torna in mente il capolavoro di Raffaello, la Scuola di Atene, l'affresco in Vaticano dove Aristotele è raffigurato nel gesto di indicare la terra, mentre Platone leva il dito verso il cielo.

Dai due grandi ateniesi derivano le due scuole di pensiero che, attraverso il tempo di Dante, sono arrivate sino a noi. Platone e i suoi seguaci separano e contrappongono il Cielo e la Terra, lo spirito e la materia, l'alto e il basso, l'Idea e l'ombra dell'Idea: siamo tutti prigionieri incatenati in una caverna, e non vediamo che il riflesso delle cose; la verità è altrove, la storia tende a un destino che ci sfugge, ma l'ideale prima o poi si manifesterà. Agostino, che distingue la Città dell'uomo dalla Città di Dio, la Gerusalemme terrena da quella celeste, partecipa di questa filosofia. Sono nipoti di Platone gli utopisti che sognano il mondo perfetto, il quale è ovviamente altrove, nel tempo e nello spazio. È una linea di pensiero che arriva sino a Hegel e all'idealismo tedesco; di cui Marx elaborerà una versione materialista, che comunque considera inevitabili le magnifiche sorti e progressive, l'evoluzione della storia verso un fine.

Dall'altra parte, Aristotele e i suoi discepoli pensano che tutto sia sulla terra, che tutto sia anzi nella mente dell'uomo; e che attraverso la logica e il sillogismo – se A è uguale a B e B è uguale a C, A sarà uguale a C – ogni cosa possa essere analizzata, spiegata, compresa. Il pensiero medievale, con Tommaso d'Aquino e la Scolastica, è impregnato di aristotelismo.

Ma Dante volge lo sguardo ancora più indietro, e riconosce la dignità dei primi pensatori: Socrate e i presocratici. Così tra gli «spiriti magni» vede Democrito, «che 'l mondo a caso pone»: tutto ciò che vediamo, secondo lui, è frutto dell'incontro casuale tra atomi. Talete, che considera l'acqua come l'origine di ogni cosa; ma, accusato di coltivare solo idee astratte, per dimostrare di avere talento anche per le cose concrete si lanciò nel commercio dell'olio, diventando ricchissimo. Anassagora, che fu accusato di empietà per aver sostenuto – con ragione – che il sole sia una massa incandescente e la luna un globo roccioso, anziché due divinità. Diogene il Cinico, che ha per casa una botte, e si rotola nella sabbia d'estate e nella neve d'inverno. Eraclito, il filosofo del «panta rei», tutto scorre: non ci si può bagnare due volte nello stesso fiume. Il misterioso Empedocle, di cui si diceva che facesse miracoli e fermasse le epidemie: oggi a lui è dedicato il porto di Agrigento, dov'è nato Andrea Camilleri (è Porto Empedocle, quindi, la vera Vigata di Montalbano).

Infine viene un altro filosofo, Zenone, tanto innamorato della libertà da cospirare contro il tiranno della sua Elea; scoperto, per non rivelare il nome dei compagni si mozzò la lingua con i denti e la sputò in faccia al despota. Ma gli studenti lo conoscono per un paradosso, un aneddoto che dimostra come la pura logica possa condurre sulla via dell'inverosimile: Achille, il più veloce degli uomini, insegue la tartaruga, il più lento degli animali, senza mai raggiungerla; perché per quanto Achille si sposti fulmineo da un punto all'altro, la tartaruga avrà nel frattempo fatto un piccolo passo... Ovviamente, Zenone insegnava ai suoi allievi a pensare diversamente, a calarsi nell'infinita vertigine delle possibilità. E in questo anticipa il grande Protagora, il primo a sostenere che «l'uomo è misura di tutte le cose»: è l'uomo a stabilire quel che esiste e quel che non esiste, il caldo e il freddo, la paura e il coraggio.

Dante invece crede alla verità assoluta, che agli antichi è negata. Ma riconosce la loro grandezza. Nel Paradiso andrà oltre, e arriverà a dubitare che gli «spiriti magni» siano davvero condannati per l'eternità: perché un uomo virtuoso dovrebbe vedersi negata la salvezza, per il solo fatto di essere nato sulle rive dell'Indo, dove nessuno conosce Gesù? «Ov'è questa giustizia che 'l condanna?/ ov'è la colpa sua, se ei non crede?» Nel giorno del giudizio ci saranno «etiopi», cioè infedeli, più vicini a Dio di molti cristiani.

Ma per il momento è all'Inferno che vivono – sia pure senza sofferenza, in un'atmosfera nobile e insieme malinconica – i grandi del passato. Dopo i filosofi, ecco i fondatori della medicina: Ippocrate e Galeno. E poi Euclide, padre della geometria, e Tolomeo, l'astronomo che diede al mondo un ordine destinato per secoli a tranquillizzare gli uomini, Dante compreso: immobile al centro dell'universo è la Terra, con il sole e tutto il resto del cosmo che le ruotano attorno. Ci sono gli scrittori dell'antica Roma – Cicerone e Seneca – e i poeti del mito greco: come Lino, che ebbe in dono la lira da Apollo.

Ma il più triste di tutti è Orfeo. Grazie alla dolcezza del suo canto, ha ottenuto il permesso di riportare l'amata sposa Euridice dall'oltretomba; a patto di non voltarsi mai a controllare che lei lo seguisse. Ovviamente non ha resistito alla tentazione; e ha visto Euridice svanire per sempre.

Cinque

Innamorarsi a Rimini

Dove Dante suggerisce a Francesca
la poesia d'amore più famosa di tutti i tempi

Rimini. Se la Divina Commedia è anche un viaggio in
Italia, è giusto che la prima tappa sia questa.

Rimini è il vero ombelico d'Italia. Un posto dove
sono efficienti e veloci come i milanesi, ospitali e calo-
rosi come i napoletani. Grandi inventori di mondi pa-
ralleli: nell'entroterra, il borgo antico, con l'arco romano di Augusto, il ponte di Tiberio, lo splendido tempio
rinascimentale dei Malatesta; in riva al mare, la città di
cartone, con gli stabilimenti contrassegnati da un numero colorato perché non si perda neanche un bambino. La città più bombardata del nostro Paese è anche
quella in cui è cominciato il dopoguerra: le prime va-
canze al mare degli italiani, le prime allegrie colletti-
ve, i tedeschi nemici di ieri accolti come amici.

Poi venne il momento in cui l'energia della Rico-
struzione incrociò il Sessantotto, l'Italia del boom si
affacciò su un mondo percorso da tensioni ma anche
da ansie di libertà. Proprio nel mare di fronte a Rimini
una goliardata tra ragazzi diventò un caso politico:
una piattaforma, costruita in acque internazionali per
fare soldi, divenne nella primavera del '68 uno Sta-

to indipendente chiamato Isola delle Rose, con una sua Costituzione e l'esperanto come lingua ufficiale. Alla fine lo Stato, quello vero, la fece saltare in aria con il tritolo.

Quindi arrivarono gli anni Ottanta: la spiaggia fu soppiantata dalle discoteche, i bagnini dai cubisti. Oggi a Rimini ci sono meno tedeschi ma più russi. Tonino Guerra se n'è andato, però sulle colline di Santarcangelo la sua memoria è sempre viva, come quella di Federico Fellini: nella sua suite al Grand Hotel ha passato l'estate del coronavirus Vasco Rossi. Ogni tanto d'inverno nevica, e la spiaggia diventa tutta bianca. Si organizzano convegni di ogni categoria, anche quello dei massoni. Ad agosto, a settimane alterne o anche contemporaneamente, Rimini accoglie ciellini e pornostar, aristocratici che scendono da sempre negli alberghi liberty e i nuovi proletari, con i nomi dei figli tatuati a caratteri cubitali sulla schiena. Dopo il tramonto la spiaggia è terra di nessuno, anche pericolosa.

L'ultimo playboy, Zanza, è morto sul lavoro: di notte, in macchina, con una ventenne romena. Al funerale piangevano inconsolabili tedesche di tre generazioni.

Francesca da Rimini è forse il personaggio più noto della Divina Commedia. Anche se Rimini non è la sua città; è il luogo dove ha trovato l'amore e la morte. Come molte altre anime, pure lei per prima cosa racconta a Dante da dove viene. È come il «where are you from?» che apre un po' tutte le conversazioni del mondo globale; perché un po' tutti amano parlare delle proprie origini, della propria terra.

Francesca viene dalla marina dove sfocia il Po (che un tempo bagnava anche Ravenna). È figlia della famiglia regnante, i Da Polenta. «Marina» è la parola con cui Dante indica l'immenso specchio d'acqua del delta che sconfina nell'Adriatico. Un angolo d'Italia di grande fascino, poco conosciuto, dove oggi si va a caccia in barca con il cane affacciato a prua, si fa il bagno dalle spiaggette sul fiume, si costruiscono capanni tra i canneti. E poi i silenzi di Rovigo e di Adria che dà il proprio nome a un intero mare; le lagune pescose di Comacchio e di Chioggia; i mosaici bizantini di Ravenna e le rovine gloriose di Aquileia, da cui fuggirono incalzati dagli Unni i fondatori di Venezia... Dante non può saperlo mentre scrive, ma è proprio sulla «marina dove 'l Po discende» che nell'estate del 1321 contrarrà la malaria, che lo porterà alla morte.

Rimini è invece la città di Gianciotto Malatesta, il colpevole del femminicidio più celebre della storia. «Ciotto», che oggi per i giovani romani è sinonimo di muscoloso, palestrato, per gli italiani del Medioevo significa zoppo, sciancato. I Malatesta e i Da Polenta sono rivali. Il matrimonio deve suggellare la pace. Ma Francesca si innamora di Paolo, il fratello del marito; che li sorprende e li uccide entrambi.

Il delitto avviene attorno al 1283, quando Dante ha diciotto anni, e desta grande emozione a Firenze: l'anno prima Paolo è stato capitano del popolo in città. Secondo Boccaccio, Francesca fu ingannata, un po' come era accaduto a Giacobbe: avrebbe dovuto sposare Paolo, e all'ultimo si sarebbe trovata davanti il fratello, lo sgraziato Gianciotto. Ma è una leggenda: Paolo risulta sposato già nel 1269.

A dire il vero, nomi Dante non ne fa. Altre storie le

racconta nei dettagli, senza tacere famiglie e casate. Se questa volta si mantiene vago, è perché la vicenda di Paolo e Francesca non è solo un fatto di cronaca, per quanto efferato; è una storia universale. Che ci riguarda tutti, perché tutti, almeno una volta nella vita, abbiamo smarrito la retta via, la ragione, il buonsenso per inseguire un amore impossibile. Spiace che Dante abbia collocato gli innamorati senza speranza all'Inferno, tra i lussuriosi. Ma la pietà, l'affetto, la condivisione del poeta sono tali che il quinto canto è forse il più bello della Divina Commedia; ed è quindi la più bella pagina scritta dagli uomini.

Il poeta scende nel secondo cerchio, e si trova di fronte Minosse, re di Creta, che come nell'Eneide è il giudice infernale. Dante lo trasforma in una sorta di demone, che ringhiando si cinge con la coda tante volte quanti sono i cerchi che il dannato deve discendere.

Ma perché proprio Minosse? Perché secondo gli antichi fu un legislatore inflessibile. Nel suo destino però c'è un elemento bestiale. Suo padre, Zeus, si trasformò in un toro per rapire e possedere sua madre, Europa. Infuriata, la sposa di Zeus, Era, colpì Minosse con una spietata maledizione: sua moglie, Pasifae, avrebbe bramato di congiungersi con gli animali. È una perversione che si chiama zooerastia: ne fu accusata anche Maria Luigia di Parma, innamorata del suo cavallo Alexandre. Pasifae desiderava invece i tori; e l'architetto di corte, Dedalo, le costruì una mucca di legno, coperta da una pelle, in cui lei poteva nascondersi in attesa dell'accoppiamento.

Nacque così il feroce Minotauro, mezzo uomo e mezzo toro. Minosse non poteva mostrarlo, ma non poteva neppure ucciderlo: agli occhi del mondo era pur sempre suo figlio. Dedalo fu incaricato di progettare un carcere dove il Minotauro avrebbe potuto vivere, senza poter uscire; così nacque il labirinto. E Dedalo stesso vi fu rinchiuso con il figlio Icaro, perché non rivelasse il segreto.

Nell'Inferno dantesco, Minosse veglia su un luogo «d'ogne luce muto», dove si scontrano venti contrari; e gli spiriti dei lussuriosi sono in balia della bufera infernale, così come in vita non avevano resistito al turbine della passione. Dante li paragona alle gru, che disegnano nell'aria una lunga riga, cantando i loro lamenti; e agli storni, che sulle nostre città ancora oggi, soprattutto oggi, passano a schiera, «di qua, di là, di giù, di sù».

Virgilio racconta la vicenda di quelle anime dannate. Per prime indica quattro donne. Semiramide, regina di Babilonia, rotta a ogni vizio al punto da rendere lecito per legge quel che piacesse a ognuno. Qui Dante anticipa una disputa linguistica e culturale durata secoli, che si può riassumere in due formule. La prima è «s'ei piace, ei lice», se una cosa piace, è consentita: è il verso che Torquato Tasso affida al coro dei pastori dell'Aminta, che rimpiangono l'età dell'oro, quando l'uomo poteva liberamente soddisfare i propri desideri. Un verso che viene rovesciato nella formula «se ei lice, ei piace», voler fare ciò che si deve fare, che appartiene al Tasso della Gerusalemme liberata e più in generale al mondo della Controriforma: l'uomo non è più al centro dell'universo, non è più misura di tutte le cose; l'uomo è un frammento in balia della sorte e della dura legge della Chiesa.

Nella Divina Commedia, che è il vertice non solo della poesia ma del pensiero medievale, è chiaro il primato della ragione sulla passione, del dovere sul piacere. Un caso di dilemma tra ragione e passione è la vicenda di Enea, che si innamora di Didone, regina di Cartagine. Didone rompe il vincolo di fedeltà che la legava al marito morto, Sicheo, e ama a sua volta Enea. I due vengono sorpresi dalla pioggia durante una battuta di caccia, si nascondono in una grotta, e si rivelano i reciproci sentimenti. Enea allora si disinteressa del suo popolo e della sua missione; fino a quando Mercurio, il messaggero degli dei, non lo riporta al dovere. Il capo dei Troiani ripartirà verso l'Italia. Prima ha un ultimo, drammatico incontro con Didone, che lo supplica, poi lo maledice e prevede eterna inimicizia tra i due popoli, fino a quando un vendicatore – Annibale – non sorgerà dalle sue ossa. Enea salpa lo stesso, con il cuore spezzato; lei si trafigge con la spada che lui le ha regalato, poi si getta nel fuoco. Quando Enea andrà nell'Ade, rivedrà Didone nei campi del pianto, e tenterà di dirle il proprio dispiacere; ma lei non lo guarderà neppure negli occhi, rifugiandosi accanto all'ombra del marito Sicheo, con cui si è ricongiunta nell'aldilà.

Accanto a Semiramide e Didone, Dante colloca Cleopatra, regina d'Egitto, che sedusse prima Cesare, poi Antonio, e morì suicida; forse dopo aver tentato invano di sedurre anche il nuovo padrone, Augusto. La quarta donna è Elena, per cui scoppiò la guerra di Troia. All'Inferno è accanto al suo amato Paride, e ad Achille: il più forte tra gli uomini è stato vinto dall'amore per Polissena, sorella di Paride, il quale l'ha ucciso a tradimento.

Con gli eroi della classicità, nel girone dei lussuriosi c'è Tristano: cavaliere della Tavola Rotonda, si innamora di Isotta, moglie di suo zio Marco. Dalla letteratura classica si passa così ai romanzi del ciclo bretone, e a quell'idea dell'amore che, nella sua evoluzione in chiave spirituale, conduce al dolce stil novo. Nascono così i versi di Guido Guinizelli – «Al cor gentil rempaira sempre amore» – e di Guido Cavalcanti, il miglior amico di Dante. Lui stesso ha scritto poesie d'amore bellissime: «Tanto gentile e tanto onesta pare/ la donna mia quand'ella altrui saluta,/ ch'ogne lingua deven tremando muta,/ e li occhi no l'ardiscon di guardare…». Ma qui, nella Divina Commedia, va oltre. L'amor cortese, la letteratura cavalleresca possono portare alla perdizione.

Dante vede due anime unite anche nella morte, che volano una accanto all'altra come colombe, e vorrebbe parlare con loro. Virgilio lo incoraggia a chiamarle. E loro rispondono a Dante con parole mai scritte e non più scritte da un essere umano. Sublimi fin dall'inizio: «Se fosse amico il re de l'universo,» – nell'Inferno Dio non è quasi mai chiamato per nome – «noi pregheremmo lui de la tua pace,/ poi c'hai pietà del nostro mal perverso».

La tempesta infernale, per un attimo, si placa. È sempre Francesca a parlare, anche a nome di Paolo, anche a nome di quell'amore che, come Dante può vedere, ancora non li abbandona. Ogni terzina comincia con la parola «amore»: l'amore conquista subito il cuore gentile; l'amore non consente a nessun amato di non

riamare a sua volta; l'amore ha condotto i due amanti alla stessa morte.

L'amor «ch'a nullo amato amar perdona» è un verso
che pare scritto ieri. Ha ispirato le note di Čajkovskij e
di Rachmaninov, i versi di Silvio Pellico e di Gabriele
D'Annunzio. Torna anche nella musica dei nostri giorni, ad esempio in una canzone di Antonello Venditti.
Ed è uno dei misteri della vita. Davvero un amore non
può non essere corrisposto? Oppure è vero il contrario? Forse ogni amore è un amore non corrisposto: al
di fuori della «vibrante intesa di tutti i sensi in festa»
(questo invece è Franco Battiato), lontano dall'estasi dei corpi, in una coppia c'è sempre uno che ama di
più, e un altro che ama di meno.

Spesso l'innamorato viene respinto. Spesso la persona perdutamente innamorata è fragile, impacciata,
a volte buffa; quasi mai è seduttiva. Non ci accade più
facilmente di innamorarci di qualcuno che non ci vuole? Non c'è forse una vena masochista in molti di noi?
Succede anche alle donne, forse soprattutto alle donne, che si intestardiscono e talora si perdono dietro a
uomini che non le valgono e non le meritano, si illudo-
no che con loro lui sarà diverso, vorrebbero redimerlo
– «io ti salverò» –, e in questo modo si fabbricano dura-
ture infelicità. E anche noi uomini ci siamo a volte riconosciuti in un'altra canzone di Venditti, Compagno di
scuola: «Ma Paolo e Francesca, quelli io me li ricordo
bene/ Perché, ditemi, chi non si è mai innamorato/ di
quella del primo banco/ la più carina, la più cretina…».

Dante però ha una concezione dell'amore diversa
dalla nostra. Forse ideale, certo letteraria. La scintilla,
la causa di tutto, è appunto un libro. Il poeta chiede a
Francesca: in che modo la passione vi ha concesso di

conoscere i vostri «dubbiosi disiri»? Desideri dubbiosi: così Dante definisce i momenti trepidanti che abbiamo provato tutti; amiamo una persona, speriamo che anche lei ci ami, ma non ne siamo sicuri. Francesca risponde: stavamo leggendo di come Lancillotto si innamorò di Ginevra. Stavano leggendo cioè il romanzo francese di Lancillotto del Lago: il cavaliere è innamorato – corrisposto – di Ginevra, moglie di Artù; un amico comune, Galeotto, avverte l'uno dei sentimenti dell'altro; e accende la scintilla di un amore impossibile. A fare la parte di Galeotto, stavolta, è il romanzo.

Paolo e Francesca sono soli. Non sospettano dei reciproci sentimenti. Ma più volte la lettura del libro li spinge a guardarsi negli occhi, e a impallidire: la storia sta parlando di loro. Quando poi leggono la scena in cui Lancillotto trova il coraggio di baciare Ginevra, allora Paolo, tutto tremante, bacia Francesca.

«Quel giorno più non vi leggemmo avante»: con un solo verso la donna evoca l'amore che vince la ragione e si abbandona ai sensi, alla soddisfazione, al rimorso. Paolo ascolta senza dire una parola, soltanto piangendo; Dante sviene per la commozione; «E caddi come corpo morto cade».

Le scene successive del dramma – la passione degli amanti, la terribile scoperta del marito, la gelosia cieca, il delitto crudele – vengono lasciate sospese. L'assassino resta sullo sfondo. Né la spada, né la punizione infernale hanno potuto sciogliere quell'abbraccio. L'amore che ha legato Paolo e Francesca ancora non li abbandona; e resta scritto in versi senza tempo, in cui generazioni di lettori si sono riconosciuti e si riconosceranno; ad assicurare l'eterna giovinezza della Divina Commedia.

Sei

Il vizio della gola

Dove Dante apprende che andrà in esilio,
e Guido Cavalcanti dà un'idea a Lucio Dalla

Sopraffatto dal dolore per la sventura di Paolo e Francesca, Dante ha perso i sensi. Quando rinviene si ritrova battuto da una pioggia «etterna, maladetta, fredda e greve». Due aggettivi astratti e due concreti. Grandine, acqua sporca, neve, fango. Cattivo odore. Oscurità. Siamo nel terzo cerchio dell'Inferno.

In questo clima abietto, moralmente e fisicamente, sono puniti i golosi. Dante li racconta con un linguaggio crudo, pieno di suoni duri, di una potenza quasi feroce. I peccatori urlano come cani per la sofferenza. Su di loro regna Cerbero, dagli occhi vermigli e dalla barba unta, che con le zanne graffia gli spiriti, li scuoia, li squarta; ma Virgilio lo ammansisce gettandogli un pugno di terra nelle fauci.

Si avanza camminando sui corpi dei dannati. Una visione destinata a tradursi in realtà secoli dopo: a Verdun, dove si combatté la battaglia più cruenta della Grande Guerra. Nella «pompa di sangue», come la chiamavano i tedeschi, le reclute appena arrivate si distinguevano dai veterani perché evitavano di calpestare i resti dei compagni caduti.

All'improvviso, un goloso si leva a sedere, e sfida Dante a riconoscerlo, visto che è nato prima che lui morisse. Dante proprio non se lo ricorda, e non è un caso. Il primo fiorentino che incontra nell'aldilà è un uomo senza importanza, detto Ciacco, maiale, per il vizio dell'ingordigia che ora lo condanna alla pioggia eterna. Ma proprio a un cittadino comune tocca giudicare severamente i grandi del suo tempo.

Dante non resiste e gli chiede di rivelargli il futuro di Firenze. La profezia di Ciacco è angosciante. La città è prigioniera di superbia, invidia e avarizia: sembra quasi di rivedere la lonza, il leone e la lupa che hanno spaventato il poeta all'inizio del suo viaggio. In quegli anni, Firenze è dilaniata tra due partiti, i Bianchi e i Neri, che dopo lunghe schermaglie si scontreranno a viso aperto: all'inizio prevarranno i Bianchi, che cacceranno i rivali, infierendo su di loro; alla fine saranno però i Neri a trionfare, grazie alla forza di un tale, un opportunista, che a lungo si è barcamenato tra gli schieramenti: il Papa Bonifacio VIII. Allora i vinti saranno perseguitati, umiliati, esiliati; e tra loro ci sarà lo stesso Dante.

In pochi versi, il poeta condensa il dramma della sua vita, e della sua città.

I Bianchi sono mercanti, imprenditori, intellettuali. Hanno origini umili, vengono a volte dal contado, anche se tra loro ci sono famiglie di piccola nobiltà, come appunto gli Alighieri. Sono uomini d'affari, non di guerra. Riconoscono l'autorità spirituale del Papa, ma non lo considerano il loro sovrano. Sono il nerbo della nuova Firenze: centomila abitanti, più di Parigi, il doppio di Napoli, il triplo di Roma; banche, arti, rapporti internazionali; una città che sta uscendo dal Medioevo e prepara la grande stagione rinascimentale. Il capo dei Bianchi è Vieri de' Cerchi: bello, ricchissimo, di poche parole, con una rete d'affari in tutta Europa. Originario di Pontassieve, cioè della campagna, in città ha comprato il palazzo di un antico casato, i conti Guidi.

I Neri sono la retroguardia feudale. Aristocratici e arroganti. Sempre alla ricerca di guerre o almeno di zuffe. Il loro leader è Corso Donati, uomo brutale, che si è liberato della moglie avvelenandola, e ha costretto la sorella Ravenna a sposarsi per due volte con uomini scelti da lui. È arrivato a trascinare l'altra sorella, Piccarda, fuori dal convento dove si era rifugiata, per darla a un famiglio, Rossellino della Tosa; e sarà Piccarda il primo personaggio che Dante incontrerà in Paradiso.

Corso Donati è considerato il vincitore di Campaldino, dove i guelfi fiorentini hanno sconfitto i ghibellini di Arezzo grazie alla carica di cavalleria da lui guidata; ma a Campaldino ha combattuto anche Vieri de' Cerchi, e tra le sue truppe c'era Dante: come feditore, cavaliere di prima linea, un ruolo che richiede grande coraggio fisico. (Nelle file guelfe a Campaldino militò anche Cecco Angiolieri. Amico di Dante, finì per litigare e scrivere un sonetto contro di lui: «Dante Alighier, i' t'averò a stancare;/ ch'eo so' lo pungiglion, e tu se' 'l bue». Si ignora se Dante, paragonato a un bovino per giunta castrato, abbia mai risposto.)

Lo scontro tra Neri e Bianchi si gioca con ogni arma. Corso assolda giullari e cantastorie perché diffamino Vieri. Lo provoca chiamandolo Cavicchia, pezzo di legno, e ogni mattina chiede ai concittadini che incontra: «Ha ragliato oggi l'asino?», che sarebbe il rivale.

L'arroganza del capo dei Neri è tale che nel 1295 aggredisce in piazza un suo cugino, Simone, e uccide il servo che lo accompagna. Il popolo minuto, che detesta Corso Donati, lo trascina in giudizio. Ma viene fuori un'altra versione dei fatti: prima di spirare, il servo avrebbe raccontato che è stato Simone a colpirlo, e non Corso. In realtà, il cugino si è assunto la colpa per proteggere il capoclan; che viene assolto.

Un altro tra i leader dei Bianchi, Guido Cavalcanti, l'amico di Dante, tenta di risolvere la questione con la forza: affronta Corso Donati, gli scaglia contro la propria lancia, ma lo manca. Entrambi vengono esiliati. E l'esilio ispira a Cavalcanti la sua poesia più nota, dove si rivolge direttamente alla ballata che ha composto, perché dica alla donna amata tutto il suo amore:

> Perch'i' no spero di tornar giammai,
> ballatetta, in Toscana,
> va' tu, leggera e piana,
> dritt'a la donna mia,
> che per sua cortesia
> ti farà molto onore.
> Tu porterai novelle di sospiri
> piene di dogli' e di molta paura;
> ma guarda che persona non ti miri
> che sia nemica di gentil natura...

Otto secoli dopo, un cantautore italiano, Lucio Dalla, userà lo stesso espediente letterario, affidando la ricerca della persona amata alle proprie stesse parole: «Canzone, cercala se puoi/ dille che non mi perda mai/ va' per le strade tra la gente/ diglielo veramente...».

Ma per Firenze il peggio deve ancora arrivare. La notte del primo maggio 1300, tradizionale festa di primavera, i Neri aggrediscono un giovane della fazione avversa, Ricoverino de' Cerchi, e per sfregio gli tagliano il naso. È la scintilla della guerra civile.

Corso Donati trama per rientrare dall'esilio, e l'occasione la offre Bonifacio VIII. Il Papa minaccia di mandare a Firenze un paciere, che diventerebbe un padrone: Carlo di Valois, fratello cadetto del re di Francia Filippo il Bello, il persecutore dei cavalieri Templari. Dante parte per Roma proprio per convincere il Papa a non dare ai fiorentini un sovrano straniero. Ma mentre attende di essere ricevuto, Carlo è già entrato in città.

È un vero colpo di Stato. I Bianchi chiedono al principe francese di far chiudere e vigilare tutte le porte, in particolare la porta d'Oltrarno, per evitare che Corso Donati e i suoi rientrino nottetempo. Ma la porta resta aperta. Il capo dei Neri ne approfitta. È il segnale della riscossa: i Bianchi sono traditi, le loro case abbattute, le donne violentate, i beni depredati. Con l'appoggio del Papa e di Carlo, Donati prende il controllo di Firenze. È il 5 novembre 1301. Come scrive Dante nel Purgatorio, il principe francese non ha vinto con le armi, ma «con la lancia con la qual giostrò Giuda»: il tradimento.

Il poeta è chiamato due volte a processo dai vincitori. Non si presenta: sa che la sentenza è già scritta. Viene condannato a morte in contumacia, con altri 558 compagni di sventura. Tranne la vita, ha perso tutto. Si ritrova in una Roma ostile, senza la famiglia, senza casa, senza denaro, soprattutto senza i suoi amati libri. Comincia un lungo girovagare. Arezzo, dove ritrova moglie e figli. E poi Forlì, Bologna, Lunigiana, Valdarno, Verona, Ravenna... Dante proverà «sì come sa di sale/ lo pane altrui, e come è duro calle/ lo scendere e 'l salir per l'altrui scale». Ma se non fosse stato esiliato, se avesse potuto proseguire la carriera politica, se fosse invecchiato serenamente nella sua Firenze, se non fosse stato indotto dal dolore a penetrare la disperazione e la grandezza dell'animo umano, forse non avrebbe scritto la Divina Commedia. O comunque non così.

Ora però dobbiamo fermarci un attimo, e prendere una decisione.

A Ciacco, Dante chiede notizie dei grandi toscani della generazione precedente alla sua. Nomi che, a un fiorentino del Duecento, suonavano familiari come a noi quelli di Trump e Obama, della Merkel e di Macron; o se preferite di Roosevelt e Churchill, di Hitler e Stalin. Personaggi che tutti conoscevano: anche se alcuni li ritenevano grandi uomini di Stato, e altri nemici pubblici, da esecrare e maledire pure da morti.

Purtroppo, per noi i grandi toscani del Trecento, e in genere i sovrani e i condottieri medievali, sono molto spesso puri nomi. Nomi talora immaginifici, che possono suonare affascinanti oppure ostici, ma in ogni caso sconosciuti. Dante ad esempio si informa sul destino di Tegghiaio Aldobrandi, guelfo, che invano supplicò i concittadini di non affrontare i senesi a Montaperti, la più sanguinosa sconfitta di Firenze. Vuol sapere di Iacopo Rusticucci, che di Aldobrandi era compagno e pure vicino di casa. Di «Arrigo» (forse Odarrigo dei Fifanti) e Mosca dei Lamberti, che accesero la scintilla tra guelfi e ghibellini, decidendo di uccidere Buondelmonte de' Buondelmonti, la mattina di Pasqua del 1216, mentre andava a sposare una donna della famiglia Donati. Al delitto è legata una frase celebre, pronunciata proprio dal Mosca, come lo chiama Dante: «Cosa fatta capo ha». Per sposare una Donati, Buondelmonte aveva rotto il fidanzamento con una ragazza della casata degli Amidei: il suo assassinio avviò una serie di vendette incrociate, che portarono a una guerra lunga quasi un secolo.

Ecco, a inoltrarsi in queste vicende, il lettore rischia di perdersi. Qualcuno tra le pochissime persone che hanno già visto queste pagine mi ha detto: semplifica, sii generoso con chi ti legge, risparmiagli i dettagli. E a lungo sono stato tentato di fare così.

Poi ho deciso di no. Ho pensato che omettere anche un solo nome, una sola storia, sarebbe stato come tradire il poeta. e lo stesso lettore. Il testo sarebbe forse meno denso, ma certo più povero. Al lettore – mio simile, mio fratello – preferisco chiedere uno sforzo. Proporgli di seguire Dante in ogni tappa del suo viaggio, in ogni anfratto della sua mente, in ogni sfaccettatura del suo ingegno. A volte sarà arduo; ma ne varrà sempre la pena. Perché anche quando nomina personaggi oscuri, il poeta sta parlando di noi, delle nostre città, della nostra terra, del nostro passato. Per capire l'Italia di oggi, le sue grandezze e le sue meschinità, le irriducibili rivalità che ci dividono, i vizi della vita pubblica dalla corruzione al familismo, dobbiamo risalire fino alle radici scavate e raccontate da Dante. Anche perché sulla folla dei personaggi anonimi talora si eleva una personalità eccezionale, capace di dominare dal suo letto di dolore l'intero Inferno.

Dante domanda a Ciacco anche la sorte dello storico capo dei ghibellini, Farinata degli Uberti. E il dannato risponde che lui e gli altri grandi sono «tra l'anime più nere»: il poeta le troverà nella sua discesa. Poi Ciacco si congeda, pregando Dante, quando sarà «nel dolce mondo», di parlare di lui ai fiorentini, di risvegliare la sua memoria, in modo da non lasciarlo morire del tutto.

Sette

«Pape Satàn aleppe!»

Dove Scilla e Cariddi sussultano, Dante si vendica
di Filippo Argenti, e Medusa custodisce (male) l'Inferno

«Pape Satàn, pape Satàn aleppe» grida Pluto, il dio – o,
meglio, il demone – della ricchezza, che fa la guardia
al quarto cerchio dell'Inferno. Parole che a noi suonano misteriose, ma erano chiare per i contemporanei
di Dante. *Pape* è una parola greca che indica stupore:
Pluto si stupisce che Dante sia vivo. *Satàn* è il nome
ebraico del diavolo, usato qui per la prima e ultima
volta in tutta la Divina Commedia. *Aleppe*, da *aleph*,
la prima lettera dell'alfabeto ebraico, è un lamento: si
aprono così le lamentazioni di Geremia. Pluto più o
meno dice: «Ah Satana, ahimè!». Ma Virgilio lo zitti-
sce – «taci, maladetto lupo!» –, e gli ricorda che è Dio
stesso a volere il viaggio di Dante; così Pluto si afflo-
scia e si lascia cadere, come le vele sgonfie di un albero spezzato.

Qui i dannati non hanno voce né volto. Dante non
ne fa vivere nemmeno uno. Sembra avere per loro, se
non un particolare disprezzo, una particolare riprovazione. Sono gli avari e i prodighi, coloro che usarono
male il denaro, trattenendolo con cupidigia o sprecan-
dolo con stoltezza. Gli avari si riconoscono dalla ton-
sura del capo, simile a quella degli uomini di Chiesa; e

tra loro in effetti ci sono chierici, cardinali, papi. I prodighi invece avanzano con il pugno chiuso.

Il loro supplizio è lo stesso di Sisifo: devono trascinare massi, girando gli uni in una direzione, gli altri in quella opposta; come l'onda sopra il vortice sottomarino di Cariddi, creato dallo scontro fra correnti. Così Dante ci porta nello Stretto di Messina: dove non è mai stato, ma che per lui è un luogo magico e fatale.

Scilla e Cariddi. Nell'Odissea, Ulisse li affronta arrivando da nord, diretto in Grecia: quindi si lascia Scilla sulla sinistra e Cariddi sulla destra. Omero li raffigura come due feroci mostri marini. Ma la maga Circe ha avvisato Ulisse che da Scilla non ha nulla da temere, e dovrà guardarsi soprattutto da Cariddi. Quindi l'eroe rinuncia a tenere la linea mediana, e si avvicina troppo a Scilla, che divora sei tra i suoi compagni.

Il luogo è propizio al mito. Ha una sua grandiosità, che si può cogliere anche oggi, guardando dall'alto la Calabria e la Sicilia che si protendono l'una verso l'altra, senza toccarsi. Qui è passata la storia, e talora è stata crudele. Le due sponde dello Stretto furono sconvolte dal terremoto più devastante che l'Europa abbia conosciuto dai tempi di Pompei.

Alle 5 del mattino del 28 dicembre 1908, Messina e Reggio vennero rase al suolo. I superstiti cercarono riparo in riva al mare: uno tsunami, con onde di dodici metri, fece strage. Centoventimila i morti. Il sindaco di Messina impazzì dal terrore e fuggì. Crollò l'ospedale: di duecento tra medici, infermieri, pazienti se ne salvarono undici. Disperso pure il tenore che la sera prima aveva trionfato a teatro, dando voce a Radames nella prima dell'Aida. Crollarono le caserme: quasi tutti i poliziotti e i finanzieri morirono. Crollò il carcere, e una banda di detenuti devastò prima il tribunale, alla ricerca dei fascicoli dei loro processi da bruciare, poi la sede locale della Banca d'Italia, a caccia dell'oro.

I sismografi avevano registrato una scossa eccezionale, ma il governo non colse subito le dimensioni della tragedia. Le prime ad accorrere furono sei navi russe che erano alla fonda ad Augusta: i marinai salvarono molte vite e imposero l'ordine pubblico, anche con fucilazioni sommarie. Poi arrivò una squadra britannica. Le navi italiane giunsero dopo due giorni, e si trovarono in terza fila. A bordo c'era anche il re, Vittorio Emanuele. Il sindaco, ritornato in città, riempì il sovrano di improperi, e fu costretto a dimettersi. Gaetano Salvemini perse la moglie, la sorella e i cinque figli. Un bambino di sette anni, Salvatore Quasimodo, arrivò a Messina con il padre capostazione, precettato per far ripartire i treni; anni dopo scriverà una poesia: «Il terremoto ribolle da due giorni, è dicembre d'uragani e mare avvelenato». Per decenni molti superstiti vivranno nelle baracche. Oggi una via di Messina è dedicata alla Marina russa.

La città fu ricostruita bellissima. L'orologio meccanico del campanile della cattedrale è il più grande al mondo. A mezzogiorno si animano il leone, il gallo e le figure di Dina e Clarenza: le eroine che nel 1282, quando Dante era ragazzo, salvarono la città dagli Angioini che l'avevano assediata, dopo la rivolta dei Vespri siciliani. I nemici tentarono un assalto notturno, ma Dina – di guardia alle mura – li bersagliò di sassi, mentre Clarenza suonava a martello le campane del Duomo. Messina custodisce anche un capolavoro poco conosciuto di Caravaggio: la Resurrezione di Lazzaro, con Gesù che punta il dito dalla penombra, e il corpo del suo amico che sussulta come percorso da una scarica elettrica, l'energia che lo riporta in vita. Purtroppo il lungomare cade a pezzi, mentre dall'altra parte dello Stretto il lungomare di Reggio è un gioiello.

Da decenni tra Scilla e Cariddi si progetta un ponte che non si è mai fatto e forse non si farà mai, anche per non rovinare il business dei traghetti. Ogni tanto qualcuno se la fa a nuoto, come Beppe Grillo nell'autunno del 2012, per lanciare la campagna elettorale delle Regionali siciliane, ignorando le grida preoccupate dei seguaci: «Beppe non lo fare, ci sono le correnti contrarie», «Beppe non lo fare, ci sono i barracuda», «Beppe non lo fare, hai sessantaquattro anni!».

Davanti agli avari e ai prodighi, Dante comincia ad affrontare una delle questioni che più coinvolgono una mente politica e morale come la sua: il denaro, e il modo in cui si costruiscono e si perdono le ricchezze. Un tema che Dante affronta con forte tensione etica, con rigore e severità, come vedremo quando incontrerà gli usurai.

La letteratura classica ha raffigurato la Fortuna come una dea cieca e capricciosa, che consegna a un uomo lo scettro da re e all'altro il bastone da mendicante, per poi magari divertirsi a scambiare i ruoli. Per Dante, la Fortuna è una ministra di Dio; come gli angeli che muovono i cieli, per distribuire in modo uniforme la luce divina.

Certo, la sorte cambia in fretta, i beni terreni sono precari, il ricco può diventare povero e viceversa; ma per Dante questa non è una sventura, è un segno della

Provvidenza, della giustizia del Signore. E forse è meglio restare senza nulla, com'è accaduto a lui al tempo dell'esilio, piuttosto che bramare ricchezze: perché tutto l'oro che c'è, e c'è stato, sotto la luna non potrebbe dar riposo a una sola di queste anime dal suo tormento eterno.

Lasciati i taccagni e gli scialacquatori al loro vortice, Dante si trova davanti a un'altra acqua, stavolta «buia», scura e stagnante. È la palude Stigia: una «schiuma antica», splendido ossimoro, perché la schiuma di solito è bianca, fresca, effimera, mentre qui è morta, e nello stesso tempo eterna. Nel fango giacciono gli iracondi, che si percuotono non con le mani ma con la testa, con il petto, con i piedi, lacerando le proprie carni con i denti; e gli accidiosi, che stanno sotto la superficie dell'acqua, invisibili, impalpabili, inutili come furono in vita: non riescono neppure a parlare, il loro unico segno sono i sospiri che fanno «pullular quest'acqua».

Sulla palude appare una nave piccola e velocissima. La conduce un altro personaggio del mito, Flegiàs, figlio di Marte. Adirato con Apollo che gli aveva sedotto la figlia, diede fuoco al tempio del dio a Delfi, e venne recluso nel Tartaro: Flegiàs è insomma perfetto per far la guardia agli iracondi e alla città di Dite che appare all'orizzonte, incandescente per l'incendio che la divora senza consumarla. Virgilio sale, ma la barca appare carica solo quando entra a bordo anche Dante: l'unico ad avere un corpo reale.

Nella palude il poeta trova un altro protagonista della Firenze del suo tempo. Un uomo che odia; infatti è il personaggio trattato peggio di tutto l'Inferno (tranne un'unica eccezione, che incontreremo alla fine). Dante ne demolisce la memoria in modo sistematico, quasi feroce, insolitamente privo di pietà.

Mentre la barca percorre «la morta gora», le si para davanti una figura piena di fango, che chiede al poeta chi sia. Dante gli replica secco: dimmi piuttosto chi sei tu, che ti sei fatto così brutto, sporco, sozzo. «Vedi che son un che piango» risponde lui, come per impietosirlo. Ma il poeta, durissimo: piangi pure, spirito maledetto, perché io ti conosco. Al che il dannato protende le braccia verso la barca, e interviene Virgilio: «Via costà con li altri cani!».

Poi la guida di Dante fa una cosa che non ha ancora fatto e non farà più: lo abbraccia e lo bacia, per confortarlo, e parla del dannato con disprezzo: fu un uomo arrogante, nessun atto buono adorna la sua memoria; per questo è così furioso. Ma Dante non è contento: vuole vederlo tuffarsi nel fango. E viene subito accontentato: le altre anime fanno strazio del suo corpo, così che il poeta ancora ne ringrazia e ne loda Dio. E finalmente i dannati urlano il suo nome: «A Filippo Argenti!»; «e 'l fiorentino spirito bizzarro/ in sé medesmo si volvea co' denti».

Tutti lo detestano all'Inferno, così come molti l'hanno detestato da vivo. Si chiamava in realtà Filippo Adimari: Argenti è un soprannome, perché per vanagloria ferrava il cavallo d'argento; e cavalcava per Firenze con le gambe tese e gli speroni sporgenti, per allontanare e talora ferire i passanti. Ovviamente era della fazione dei Neri, e compagno di Corso Donati; ma non è semplice inimicizia politica, è proprio odio personale a dividerlo da Dante. La famiglia Adimari fu spietata nel perseguitare gli Alighieri: si accaparrò i loro beni confiscati, si oppose al ritorno di Dante a Firenze; e pare che, prima della cacciata, Filippo l'avesse preso a schiaffi. Quella del poeta è la rivalsa del giusto nei confronti di chi gli ha procurato un male ingiusto. Del resto, la fama di iracondo e violento dell'Argenti era tale che pure Boccaccio lo mette in scena in una novella, nell'atto di pestare a sangue un cortigiano effeminato, detto Biondello; ma il tono è burlesco, quasi giocoso, molto distante dai versi cupi e terribili dell'Inferno.

Ora si entra nella parte più fosca del regno dei morti, là dove sono puniti i peccati commessi non per incontinenza, cedendo a un'inclinazione, ma per scelta. All'orizzonte appare la città di Dite (il nome latino del sovrano delle ombre), bruciata da un fuoco eterno. Sulle mura, per la prima volta Dante vede i diavoli. Sono più di mille, e si rifiutano di aprirgli le porte. A Virgilio, che chiede di poter parlare con loro, impongono di avvicinarsi da solo; così Dante si ritrova abbandonato in mezzo all'Inferno, e si rivolge al lettore, chiedendogli di immaginare il suo sconforto. Tanto più che Virgilio torna con cattive notizie: i demoni non li lasceranno passare.

Dante è talmente pallido per la paura che Virgilio si sforza di mostrarsi tranquillo; ma mentre parla, incespica, cosa che non accade mai. Entrambi sono imbarazzati: Dante non vuole passare per pavido; e anche Virgilio cerca di ostentare sicurezza. Del resto – spiega – è già stato nella città di Dite, e più giù ancora, quando la maga Eritone si è servita di lui per richiamare uno spirito dal cerchio di Giuda, il luogo più remoto dell'Inferno.

Dante non aggiunge altro su questa oscura operazione di necromanzia. Pare che nel Medioevo a Virgilio si attribuissero poteri misteriosi: la sua figura del resto segnava un passaggio d'epoca, con un piede nell'età classica e un altro già quasi in quella cristiana; nel Purgatorio Dante userà l'immagine dell'uomo che cammina con una fiaccola dietro la schiena, e quindi avanza nel buio, ma illumina il cammino di chi viene dopo di lui. E comunque Eritone sapeva davvero riportare in vita le anime, sia pure temporaneamente: fece parlare un morto per predire al figlio di Pompeo la sconfitta del padre, per mano di Cesare.

Le parole con cui Virgilio vorrebbe rasserenare Dante sono interrotte da una terribile apparizione. In cima a una torre compaiono le tre Furie, figlie di Acheronte e della Notte, gli spiriti maligni che perseguitano i colpevoli dei delitti di sangue. Sono Megera, simbolo dei cattivi pensieri; Aletto, delle cattive parole; e Tisifone, delle azioni malvagie. Il nome greco delle Furie è Erinni: rappresentano il rimorso della coscienza; come quello che insegue gli assassini.

La scena è orrenda: le Furie sono coperte di sangue, cinte di idre, hanno serpenti per capelli; e invocano l'arrivo di Medusa, affinché trasformi l'intruso in pietra. Nessuno dovrà mai più uscire vivo da qui: già le Erinni si sono lasciate sfuggire Teseo, sceso con Piritoo per liberare Proserpina; Piritoo era stato sbranato da Cerbero, Teseo era caduto prigioniero, ma è stato poi liberato da Ercole.

Dante però non vedrà Medusa, e quindi non la descriverà, perché Virgilio lo invita a coprirsi gli occhi, e per sicurezza lo protegge anche con le sue mani. Qui il poeta si rivolge di nuovo al lettore: «O voi ch'ave-

te li 'ntelletti sani,/ mirate la dottrina che s'asconde/
sotto 'l velame de li versi strani». Dante sfida la nostra
intelligenza e la nostra attenzione, come si fa a teatro:
la poesia diventa allegoria; le Furie e Medusa rappresentano la forza del male che vorrebbe impedire la salvezza di Dante e di ogni altro uomo.

Ma a un tratto interviene, ad abbattere ogni ostaco-
lo, un messo del Cielo. Con la forza di un vento impetuoso, che schianta i rami, sradica le piante, «fa fuggir
le fiere e li pastori», ecco arrivare un angelo. Cammina sulle acque della palude e mette in fuga i diavoli,
come rane spaventate dall'arrivo di una biscia. I custodi della città di Dite non possono nulla contro il messaggero di Dio, che spalanca le porte con il tocco di un
semplice bastoncino; e sparisce, senza degnare Dante
di una parola o di uno sguardo.

Resta l'impressione terrifica delle mura infernali, guardate dalle Erinni e da Medusa: è il varco più
drammatico dell'Inferno, l'unico in cui Virgilio sia
impotente. La grandezza dell'uomo non è nulla, senza l'intervento celeste. Il viaggio può proseguire, ma
sarà ancora più angoscioso. Perché ora si entra davvero nel regno del male.

Otto

Firenze, la patria morale

Dove Dante fissa i confini orientali d'Italia
e resuscita il nemico Farinata

Davanti al poeta, e a noi lettori, si spalanca una visione di grande potenza e solennità: una campagna piena di sepolcri. Dante la paragona al grande cimitero di Arles, in Provenza, sorto – secondo la leggenda – in una sola notte, per dar sepoltura ai cristiani caduti in battaglia contro gli infedeli; e al sepolcreto di Pola, presso il golfo del Quarnaro, «ch'Italia chiude e suoi termini bagna», che segna i confini del nostro Paese.

È questo un verso particolarmente doloroso. Perché è stato citato da generazioni di irredentisti, e poi di esuli. Perché indica un pezzo d'Italia che ci manca.

La prima cosa che facevano gli irredentisti era costruire statue di Dante. Erano italiani di lingua e di cuore, nati sudditi austriaci negli anni – tra l'unificazione e la Grande Guerra – in cui l'Impero controllava ancora Trento e Trieste. Per loro Dante era il simbolo non soltanto della lingua, ma dello spirito della nazione. Così quegli italiani senza patria insistevano per dedicare a Dante Alighieri scuole e atenei. Per aver chiesto un'università in lingua italiana a Trento, si ritrovarono in galera insieme Cesare Battisti, socialista, e un giovane cattolico: Alcide De Gasperi.

Nel golfo del Quarnaro, a Capodistria, era nato Nazario Sauro. Fu uno dei duemila triestini, istriani, dalmati, trentini che allo scoppio della Grande Guerra disertarono, e andarono a combattere per l'Italia, contro l'Austria, affrontando una morte quasi certa: se anche sopravvivevano agli assalti, non venivano fatti prigionieri, ma impiccati.

Il sommergibile di Nazario Sauro si incaglia al largo di Fiume, lui tenta di fuggire su un barchino, e viene fermato dai nemici. Dichiara di chiamarsi Nicolò Sambo, ma alcuni concittadini – vi risparmio i loro nomi – lo riconoscono. Allora viene messo a confronto con sua madre, Anna. *gallows*

Per salvarlo dalla forca, la mamma nega di conoscere il figlio. Sarà inutile. Nazario Sauro viene impiccato il 10 agosto 1916, un mese prima di compiere 36 anni. Con la corda al collo riesce ancora a gridare in faccia ai carnefici: «Viva l'Italia!». La notizia fa il giro d'Europa, lo sdegno è enorme.

Gli austriaci lo seppelliscono nottetempo, in terra sconsacrata. Dopo la vittoria, i marinai italiani riescono a farsi indicare il luogo, riesumano la salma e la seppelliscono proprio nel cimitero di Pola. Quando, alla fine della seconda guerra mondiale, dovranno lasciare la loro terra, i profughi istriani recupereranno la bara di Nazario Sauro e la porteranno a Venezia, dove ora riposa.

È un esodo di cui si è sempre parlato poco e malvolentieri. Una pagina nera della nostra storia. Oltre 350 mila italiani furono costretti dai soldati di Tito ad abbandonare le loro case. A migliaia erano finiti nelle foibe, con l'unica colpa di essere italiani. Non è un caso che gli esuli abbiano portato con sé, tra le cose più care e preziose, i resti del martire, come segno della propria identità, e del legame con l'Italia.

Questa è l'ultima lettera che Nazario Sauro scrisse al primogenito, la notte prima dell'esecuzione: «Caro Nino, tu forse comprendi, o altrimenti comprenderai fra qualche anno, quale era il mio dovere d'italiano. Diedi a te, a Libero, ad Anita, a Italo, ad Albania nomi di libertà, ma non solo sulla carta; questi nomi avevano bisogno del suggello, e il mio giuramento l'ho mantenuto. Io muoio col solo dispiacere di privare i miei carissimi e buonissimi figli del loro amato padre, ma vi viene in aiuto la patria che è il plurale di padre, e su questa patria, giura o Nino, e farai giurare ai tuoi fratelli quando avranno l'età per ben comprendere, che sarete sempre, ovunque e prima di tutto italiani. I miei baci e la mia benedizione. Papà».

Le tombe che Dante vede nel sepolcreto sono incandescenti: più grave è l'errore, più cocente è la fiamma. Dai coperchi sollevati escono «duri lamenti». Qui è punita l'eresia: un peccato considerato gravissimo nel Medioevo.

Quando Dante era giovane, a Firenze si processavano i catari, che rifiutavano i beni materiali e financo l'amore fisico, sino a ritenere il creato un inganno di Satana. Per piegarli era stata istituita l'Inquisizione, ed era stata indetta, in Francia, la prima crociata contro altri cristiani. La loro roccaforte, Béziers, era stata presa e distrutta. Secondo la tradizione, il legato pontificio Arnaud Amaury aveva raccomandato ai crociati, che chiedevano come distinguere gli eretici dai buoni cristiani: «Uccideteli tutti; Dio riconoscerà i suoi». E da secoli gli storici discutono se il sant'uomo abbia davvero detto questa frase. Di sicuro, gli abitanti di Béziers furono massacrati: al Papa Innocenzo III venne garantito che i morti erano almeno ventimila.

Molti anni dopo, in piazza della Signoria sarà bruciato come eretico Gerolamo Savonarola, il domenicano che era stato il padrone di Firenze e a sua volta aveva predicato ai fiorentini di disfarsi delle ricchezze, compresi alcuni capolavori del Rinascimento. Pure Sandro Botticelli avrà una crisi mistica e diventerà seguace del frate penitente, prima di morire e di essere sepolto ai piedi della sua Beatrice: Simonetta Vespucci – cugina di Amerigo il navigatore –, la donna che Botticelli amava perdutamente, e che ha ritratto in ogni tela, dando il suo volto alla Madonna ma anche alla Primavera, e a Venere nata dalla spuma del mare.

Dante aveva familiarità con un altro tipo di eretici: gli intellettuali affascinati dal pensiero di Epicuro, convinti che l'anima muoia con il corpo. Molti, tra i dotti fiorentini con cui era cresciuto, avevano abbandonato la fede cristiana, la grande speranza della resurrezione e della vita eterna. Ora il poeta sta per incontrarne due: il capo ghibellino delle generazioni passate; e il padre del suo migliore amico.

Mentre conversa con Virgilio, Dante viene apostrofato da una voce, che esce da uno dei sepolcri. È Farinata degli Uberti, il condottiero. Ha riconosciuto il suo accento toscano, e ha capito che Dante viene da Firenze, la «nobil patria» alla quale lui aveva arrecato forse troppo danno.

Fin dall'ingresso in scena, Farinata mostra cortesia, fierezza, amor di patria. Dante ha l'accento della sua terra: un dettaglio in fondo ovvio, ma che ce lo rende ancora più vivo. Basta sentirlo parlare per capire che è fiorentino. E questa è una cosa molto italiana, perché se è vero che in ogni Paese ci sono accenti del Nord e del Sud, non esiste una terra come la nostra dove a ogni crinale di collina cambiano inflessioni, lessico, cantilene, profumi, sapori, abitudini. Siamo un Paese di piccole patrie, e il legame con il territorio è una ricchezza, perché il gusto di essere italiani è anche essere diversi gli uni dagli altri. Come diceva Carlo Azeglio Ciampi: «Mi sento profondamente livornese, toscano, italiano, europeo».

Farinata si erge dal sepolcro fino alla cintola, con il petto e con la fronte, le parti del corpo in cui meglio si rispecchiano la nobiltà d'animo e la forza morale. Sembra avere per l'Inferno un profondo disprezzo. Chiede a Dante chi sono i suoi antenati, e apprende così che gli furono avversi; e rivendica di averli sconfitti per due volte. La prima nel 1248, quando i ghibellini guidati da Farinata cacciarono i guelfi da Firenze, con l'aiuto dell'imperatore Federico II; la seconda nel 1260, dopo Montaperti. Dante risponde che entrambe le volte i guelfi erano tornati; cacciando i ghibellini, per sempre. E questo, per Farinata, è un tormento peggiore del sepolcro infuocato.

La battaglia di Montaperti, combattuta alle porte di Siena sulle rive del fiume Arbia, è forse la più famosa del Medioevo italiano, e il motivo è semplice: molte delle cose che leggiamo, pensiamo, vediamo, sappiamo della nostra storia sono state create dai fiorentini; e per i fiorentini Montaperti fu un trauma. Oggi diremmo una Caporetto. In un giorno, il 4 settembre 1260, ebbero duemilacinquecento caduti e millecinquecento prigionieri. Non a caso Dante cita «lo strazio e 'l grande scempio che fece l'Arbia colorata in rosso».

Al tramonto i fanti senesi ebbero l'ordine di risparmiare la vita agli avversari che si erano arresi; a tutti, tranne che ai fiorentini, che andavano massacrati senza pietà. I sopravvissuti tentarono di strapparsi di dosso i propri colori e ogni altro segno di riconoscimento, confondendosi con i loro alleati, camuffando quella lingua e quell'accento di cui Dante va giustamente fiero. Si racconta che una vivandiera coraggiosa e pietosa, Usilia, abbia catturato trentasei fiorentini, salvando loro la vita. Il gonfalone di Firenze fu legato alla coda di un asino che attraversò piazza del Campo, tra due ali di folla festante. Il Papa scomunicò i ghibellini; e mezza Europa ne approfittò per non pagare i debiti ai mercanti di Siena. Circolava una leggenda nera: il comandante senese, Provenzano Salvani, possedeva un diavolo-profeta, chiuso in una bottiglia, che gli aveva predetto la vittoria, assicurandogli che la sua testa sarebbe stata la più alta sul campo di battaglia.

Farinata – che si chiamava in realtà Manente, e deve il soprannome ai capelli biondi – combatteva accanto ai senesi, come tutti i ghibellini di Firenze. Del resto Montaperti non fu uno scontro tra due città, ma tra due fazioni, quella papalina e quella imperiale. Nel campo guelfo c'erano i contingenti di Prato, Lucca, San Gimignano, San Miniato, Volterra, Colle di Val d'Elsa, più quelli venuti da Bologna, Orvieto, Perugia. Con i senesi erano schierati i ghibellini di Pisa, Poggibonsi, Massa, Asciano, Terni. La giornata di Montaperti disegna insomma la mappa delle rivalità dell'Italia medievale, ovviamente con l'intervento degli stranieri.

Il re di Sicilia Manfredi, figlio di Federico II, aveva offerto cento cavalieri. Sdegnati, i ghibellini intendevano respingere l'aiuto, ma Farinata li convinse ad accettare; l'importante era che l'Impero si impegnasse; alla prima difficoltà sarebbe stato costretto a mandare rinforzi. E infatti a Montaperti ci sono ottocento cavalieri tedeschi, tra cui il leggendario Gualtieri d'Astimbergh, che apre la battaglia passando da parte a parte con la sua lancia il capitano dei lucchesi, e poi fa strage con la spada. Feroce, il nobile germanico; ma mai quanto Geppo, boscaiolo senese, che con la sua scure massacra venticinque fiorentini; e non si arresta neppure davanti a quelli che alzano le mani e invocano san Zenobi. Diecimila cadaveri sono abbandonati sul campo di battaglia: per anni la piana sarà lasciata agli animali. «A Montaperti c'ero anch'io» si scrivono ancora oggi sulle magliette i tifosi del Siena, quando la loro squadra incontra la Fiorentina.

Una settimana dopo, i guelfi abbandonarono Firenze, considerata indifendibile. A fine settembre entrarono in città i ghibellini, e come prima cosa rasero al suolo le torri e i palazzi delle famiglie rivali. Negli stessi giorni, i vincitori si riunirono a Empoli, per decidere il da farsi. Re Manfredi aveva ordinato di distruggere Firenze; i rappresentanti di Siena e di Pisa erano d'accordo; solo Farinata degli Uberti intervenne per salvare la città. E ora lo fa notare a Dante.

Dice Farinata: non ero certo da solo a Montaperti, e non era senza motivo la mia ostilità verso i guelfi, che mi avevano esiliato; ma fui io soltanto a difendere «a viso aperto» Firenze.

I fiorentini non gli furono riconoscenti. Morto nel 1264, Farinata venne sepolto nella cattedrale di Santa Reparata, su cui sarà poi costruito il Duomo. Ma due

anni dopo, quando il re Manfredi fu sconfitto e ucciso a Benevento dagli Angioini, alleati del Papa, i ghibellini dovettero lasciare Firenze. I senesi furono bat-
tuti a Colle di Val d'Elsa; pur di non rientrare in città
da vinto, Provenzano Salvani – che Dante colloca nel
Purgatorio – cercò e trovò la morte in battaglia; e la sua
testa fu alzata su una picca, avverando così la profezia del diavolo in bottiglia.

Una ventina d'anni dopo la morte, i corpi di Farinata
e della moglie Adaleta vennero riesumati, processati in
pubblico, condannati per eresia, dispersi in Arno. I beni
di famiglia furono confiscati, la sua memoria maledetta.
Dante invece ne riconosce la grandezza. Riabilita l'uomo e il suo ricordo, che i concittadini avevano tentato
di cancellare. Anche se non rinuncia a discutere vivace-
mente con lui, proprio sulle lotte fratricide tra fiorentini.

Mentre il poeta sta parlando con Farinata, un'altra
ombra spunta da un sepolcro, fino al mento, dopo essersi levata in ginocchio. Si guarda attorno, come per
vedere se Dante è accompagnato; ma poiché non scorge
nessuno, piange e domanda: «Mio figlio ov' è? e perché
non è teco?». Il dannato è Cavalcante dei Cavalcanti,
padre di Guido. Convinto che Dante sia stato ammes-
so nell'oltretomba «per altezza d'ingegno», si stupisce di non vedere anche il figlio, suo compagno inse-
parabile, nonché grande poeta. Ma Dante chiarisce di
non venire per proprio merito, bensì per grazia e volontà di Dio, che Guido «ebbe a disdegno». Sentendo
«ebbe», Cavalcante pensa che il figlio sia morto, che il
dolce lume del sole non ferisca più i suoi occhi; grida
il proprio dolore; e ricade nel sepolcro.

Qui si consuma la rottura tra Dante e Guido: l'altezza di ingegno non basta, la letteratura cortese – come

già ha mostrato la tragedia di Paolo e Francesca – può portare alla perdizione; la poesia, per quanto sublime, e la magnanimità, per quanto grandiosa, senza la fede non conducono alla salvezza.

Ma mentre Cavalcante si dispera, Farinata non muta aspetto, non muove collo, non piega costola. E riprende la discussione con Dante, vaticinando il suo futuro: non si riaccenderà per cinquanta volte la faccia della luna – non passeranno insomma cinquanta mesi –, che anche lui saprà quant'è dura la condanna dell'esilio.

A forza di sentirsi annunciare il proprio destino, il poeta si toglie una curiosità: com'è che i defunti vedono l'avvenire, mentre non sanno nulla del presente? Nella settimana santa del 1300, quando avviene il viaggio di Dante, Guido Cavalcanti è vivo, sia pure per pochi mesi ancora; e il padre non lo sa. Farinata gli risponde che i morti intravedono le cose lontane, non quelle vicine; e quando verrà il giorno del giudizio, il futuro sarà finito, la Porta dell'Inferno si rinserrerà per sempre, il loro sepolcro si chiuderà, e non sapranno più nulla.

Prima di congedarsi, Farinata confida a Dante che la sua tomba contiene più di mille anime, tra cui «'l secondo Federico e 'l Cardinale». Federico II è colui che ha restaurato in Italia il potere imperiale, coltivando la filosofia e la poesia; Dante lo ammira moltissimo; eppure lo confina all'Inferno per il suo ateismo, ben noto ai contemporanei. È un giudizio morale e politico, esteso anche al Cardinale per antonomasia: che per un lettore del tempo era Ottaviano degli Ubaldini, arcivescovo di Bologna, per qualche anno signore dell'Italia centrale. Di sé il Cardinale usava dire: «Se anima è, per i ghibellini io l'ho perduta»; e questa frase, che tradisce la sua poca fede, suona già come una condanna.

Pur chiuso in un sepolcro, Farinata resta uno dei personaggi più vivi della Divina Commedia. Dante trasforma un nemico in un eroe della dignità umana; lo restituisce alla memoria dei contemporanei, e lo fa vivere per sempre. Li divide la politica; li accomuna non soltanto l'origine fiorentina, ma l'amor di patria. E se l'Italia è nata dai versi di Dante, allora Firenze è la patria morale di tutti noi italiani.

Attraverso i secoli, i concittadini di Dante hanno eretto davanti a Palazzo Vecchio, sede del Comune, altri segni di fierezza e orgoglio. La statua di Donatello che raffigura Giuditta e Oloferne: una donna che taglia la testa al condottiero nemico. Il David di Michelangelo, oggi sostituito da una copia: un pastore che uccide e mozza il capo a un gigante. Il Perseo di Benvenuto Cellini, che è invece originale (tranne lo splendido basamento): un uomo che sconfigge e decapita un mostro, quella Medusa che abbiamo appena ritrovato nell'Inferno. Siamo tra la metà del Quattrocento e la metà del Cinquecento, il tempo in cui nascono i grandi Stati nazionali. Firenze rimane relativamente piccola, non è più la grande metropoli europea del tempo di Dante, ma attraverso le opere dei suoi artisti comunica un messaggio politico: non ci arrenderemo mai; continueremo a combattere per la nostra libertà e la nostra indipendenza.

Questo è sempre stato vero, fino al nostro tempo: la prima città italiana liberata dai partigiani durante la Resistenza fu Firenze. E non è retorica. Le parole sono retoriche se vengono contraddette dai fatti; non se i fatti le confermano. Non è retorico Pier Capponi, quando avverte il re francese Carlo VIII che, se lui farà suonare le trombe dell'assedio, i fiorentini suoneranno le loro campane, per chiamare il popolo a resistere. Non è retorica il valore sfortunato di condottieri fiorentini come Francesco Ferrucci, caduto per difendere la Repubblica dagli imperiali, e Giovanni delle Bande Nere, tradito dai Gonzaga che lasciano passare i lanzichenecchi, per poi lavarsi l'anima ospitando Giovanni in agonia in un palazzo di famiglia. Oggi le loro statue sono sulla facciata degli Uffizi, accanto a quella di Farinata degli Uberti; anche se la mano dello scultore, nel tentare di restituirne la fierezza davanti alla sorte avversa, non può rivaleggiare con i versi di Dante.

Questo non è un commento alla Divina Commedia. Ne sono stati scritti molti, e da grandi studiosi. Questo è un racconto del viaggio di Dante, e di come le sue parole abbiano contribuito a creare l'identità italiana. Resisto alla tentazione di citare di continuo i suoi versi, che dovrebbero essere pane quotidiano per chiunque ami la poesia e il nostro Paese. Ma il modo in cui viene descritto Farinata non può essere raccontato se non con le parole di Dante; perché mai nessuno ha scritto meglio di così.

> Ed el mi disse: «Volgiti! Che fai?
> Vedi là Farinata che s'è dritto:
> da la cintola in sù tutto 'l vedrai».
> Io avea già il mio viso nel suo fitto;
> ed el s'ergea col petto e con la fronte
> com' avesse l'inferno a gran dispitto.

Nove

Dante contro la finanza

Dove si puniscono i banchieri disonesti
e si esaltano il talento e il lavoro

Dante non si è ancora ripreso dall'emozione per l'incontro con Farinata, che già l'Inferno si impone con la sua natura abietta. Il poeta si ritrova in cima a un abisso, da cui sale un lezzo insopportabile. È la parte più oscura dell'oltretomba. Virgilio gli propone una sosta, per dare all'olfatto il tempo di abituarsi. Accanto a loro c'è un grande sepolcro, dove giace Anastasio II: dopo tanti ghibellini, tra gli eretici c'è pure un Pontefice. Convinto che Cristo avesse solo natura umana, e non divina, Anastasio – secondo la tradizione – fu colpito da morte improvvisa per mano dell'Onnipotente. Dio fece insomma morire il Papa.

Virgilio approfitta della pausa per spiegare cosa troveremo nella discesa, e com'è fatto l'Inferno. I dannati sono disposti secondo un ordine razionale, che Dante costruisce in base ai suoi studi di astronomia e filosofia.

Dentro la città di Dite sono puniti i peccati compiuti scientemente, con la violenza o con la frode. La frode è specifica dell'uomo, perché richiede l'uso della ragione; e siccome mortifica la più alta qualità umana, offende più gravemente Dio; pertanto è sanzionata nella parte più profonda dell'Inferno.

La frode può essere commessa contro chi non si fida, o contro chi si fida. Tradire una persona che ci ama è particolarmente spregevole: l'amore è l'essenza della vita, il motore del mondo, è l'amore «che move il sole e l'altre stelle» come sarà detto al culmine del Paradiso; a questi traditori è riservato il nono e ultimo cerchio, nel punto dell'universo dove è conficcato Lucifero, al centro della Terra. Troveremo lì anche i traditori della patria. Nell'ottavo sono punite invece l'ipocrisia, la lusinga, la corruzione, la falsità, la simonia «e simile lordura».

Prima, però, Dante incontrerà – nel settimo cerchio – i violenti, distinti in tre gironi: perché la violenza può essere esercitata contro il prossimo, contro se stessi, e contro Dio.

Nel primo girone sono puniti coloro che hanno fatto del male agli altri: i colpevoli di omicidio, ferimento, distruzioni, incendi, rapine, estorsioni. Nel secondo girone ci sono i suicidi e i biscazzieri, oggi diremmo i ludopatici: coloro che sperperano i propri beni con il gioco, e piangono mentre potrebbero essere felici. Nel terzo girone ci sono i bestemmiatori, ma solo quelli che negano Dio con il cuore, oltre che con la bocca; Dante non condanna il semplice sfogo verbale, bensì quello che nasce da un consapevole disprezzo. Ci sono poi i sodomiti, che peccano contro la natura. E gli usurai, che spregiano la bontà di Dio.

A questo punto Dante fa una domanda decisiva: perché «usura offende la divina bontade»? Per quale motivo gli usurai sono puniti accanto ai bestemmiatori, tra coloro che fanno violenza al Signore? Virgilio risponde citando la Fisica di Aristotele, e spiegando un concetto complesso con parole nitide.

La natura ha origine dalla mente divina. L'arte umana imita la natura, come l'allievo segue il maestro; per cui l'arte può dirsi quasi nipote di Dio. Da Adamo in poi, l'uomo si guadagna da vivere e migliora la propria condizione grazie alla natura o grazie all'arte, al lavoro, al talento. Ma l'usuraio segue un'altra via, si arricchisce in altro modo: con gli interessi sul denaro prestato.

Dante dà molto spazio alla questione dell'usura. E non solo perché l'usuraio trasgredisce il Padre Nostro: «Rimetti a noi i nostri debiti, come noi li rimettiamo ai nostri debitori». L'usura era centrale nella società del suo tempo, nell'economia, nella vita pubblica. Rovinava persone, famiglie, città. Gli altri peccati sono evidenti: un assassino è un assassino, un ladro è un ladro. L'usura è un peccato nascosto, che Dante intende rivelare e denunciare, come un'offesa agli altri uomini e a Dio stesso.

È stato scritto che questo è un segno del conservatorismo di Dante, e più in generale dell'arretratezza del pensiero medievale. L'uomo del Medioevo viene raffigurato, anche da storici autorevoli, come scettico verso il futuro, convinto dell'esistenza di un ordine immutabile. Non crede nel progresso, non spera di poter migliorare la propria condizione, non ha bisogno di denaro da mettere a frutto, e quindi vede di cattivo occhio l'attività delle banche e della finanza. Tutta l'economia moderna si basa invece sul debito: si prende denaro a prestito, su cui si paga un interesse, per investire sull'avvenire, ricavare altro denaro, creare una ricchezza che finirà per essere redistribuita.

Ma, a parte che al tempo di Dante esisteva già un sistema bancario e finanziario e quindi un embrione del capitalismo moderno, dobbiamo chiederci a cosa ci abbia portato tutto questo. E come la situazione sia degenerata negli ultimi anni, in un modo analogo a quello denunciato dal poeta.

Il problema non è solo l'usura in senso tecnico. Gli strozzini commettono un reato; se la macchina della giustizia funzionasse, sarebbero in galera; siccome non funziona, molti non hanno il coraggio di denunciarli. Senza criminalizzare nessuno, anche la moltiplicazione dei «compro oro» nelle città italiane rivela quanto profonda sia la crisi, quanto distorto il meccanismo di produzione della ricchezza: che non viene più creata ma «estratta», cioè ricavata vendendo – o svendendo – quel che si possiede, fossero anche i gioielli della nonna.

Il problema però è molto più vasto. Riguarda il dominio della finanza sull'arte, sul talento, sulla fatica degli uomini.

Nell'Italia dei nostri padri la ricchezza era ancora legata al lavoro. Lavoro spesso svolto in condizioni durissime: sfruttamento, mezzadri in balia del padrone, ragazzini e donne al nono mese di gravidanza chine sui campi; e poi ciminiere in città, reparti verniciatura, acciaierie in riva al mare. Ma comunque era il lavoro – in campagna, in fabbrica, nei servizi – a produrre la ricchezza.

Ora i soldi si fanno con altri soldi. Il lavoro sembra non valere più nulla. Viene esportato, in Paesi dove costa molto meno; sostituito dalle macchine intelligenti; reso inutile dalla Rete; affidato a immigrati disposti a faticare molto in cambio di poco, magari in nero. Se un'azienda licenzia, le sue quotazioni in Borsa saliranno, i suoi azionisti si arricchiranno, i suoi manager si assegneranno bonus milionari. La grande parte della ricchezza è prodotta dalla finanza. Ma è una ricchezza teorica, immateriale, aleatoria. Non è più legata all'esperienza, alla tecnica, alla cultura; è in balia della sorte. La cultura anzi non è mai stata così negletta: si investe troppo poco nella scuola, nell'università, nella ricerca.

Qui sta la ragione della grande crisi finanziaria del 2008, divenuta qualche anno dopo una grande crisi economica, da cui l'Italia non si è davvero mai ripresa, fino a quando l'epidemia da Covid non ha dato la mazzata finale.

In sintesi, è andata così. Siccome il lavoro tradizionale vale sempre meno, come mantenere alto il livello dei consumi? Non potendo aumentare i salari, si è provato ad aumentare i debiti. Ogni debito generava una cascata di derivati. Case da 100 mila dollari figuravano valere dieci o cento volte tanto, perché il mutuo con cui erano state acquistate veniva frazionato e rivenduto. Inevitabilmente, i nuovi creatori di ricchezza, gli uomini della finanza, ne trattenevano per sé una parte crescente. Fino a quando l'ultimo anello della catena di sant'Antonio ha ceduto, l'ultimo creditore ha chiesto indietro i suoi soldi, la bolla è scoppiata, e si è risaliti sino alla casa che continuava a valere solo 100 mila dollari, anzi meno.

Per non far fallire le banche intossicate dai derivati, i governi le hanno gonfiate di denaro dei contribuenti. A quel punto la crisi si è trasferita dalle banche private ai bilanci pubblici. Le banche centrali hanno immesso nel sistema una gigantesca dose di liquidità; che però non è arrivata, se non in piccola parte, alle imprese e ai consumatori.

L'economia mondiale era adagiata su una montagna di carta destinata a franare alla prima emergenza. Il coronavirus è stato un'emergenza al di là di qualsiasi previsione. E ora che si tratta di ripartire, dovremmo ritrovare non solo lo spirito, ma anche il metodo con cui le nostre madri e i nostri padri ricostruirono l'Italia dalle macerie della seconda guerra mondiale: il lavoro. Perché il lavoro è dignità; come l'insegnamento, come lo studio. Sono queste le uniche leve che possono innalzarci al livello di quella grandezza, di quell'eterno genio italiano che è il vero centro della poesia di Dante.

Dieci

Il coraggio di sopravvivere

Dove Dante veglia sulle ossa dei nostri nonni, doma i centauri
e respinge la tentazione del suicidio

«I Pesci guizzan su per l'orizzonta.» Con questa stupenda espressione astronomica Dante ci dice che mancano
solo due ore all'alba, ed è quindi il tempo di ripartire.
Infatti la costellazione dei Pesci è apparsa sull'orizzonte di Gerusalemme. I Pesci precedono l'Ariete, il segno
in cui al momento del viaggio di Dante si trova il sole.
La distanza tra due segni è di trenta gradi; nei giorni
dell'equinozio di primavera il sole sorge alle sei; quindi sono le quattro del mattino.

Un modo tanto celestiale di indicare l'ora cozza con
l'asprezza del paesaggio che Dante e Virgilio devono
ora attraversare: un luogo «alpestro», che però non ha
nulla di idilliaco, anzi è sconvolto da una grande frana, provocata dal terremoto seguito alla crocifissione
di Cristo. Per dare ai contemporanei un'idea di quanto
scosceso e selvaggio sia il baratro, Dante cita gli Slavini
di Marco, «di qua da Trento».

Marco è un paese sulla riva dell'Adige. Risalendo
il fiume da Verona lo si incontra prima di Rovereto. È
probabile che Dante abbia visto di persona lo scivolo
ripidissimo di roccia, e i massi franati che si accumula-
no in fondo. Gli smottamenti hanno riportato alla luce

lo strato geologico che risale al Giurassico: gli esperti hanno trovato orme di dinosauri.

Secondo una diceria del posto, il poeta avrebbe soggiornato in un castello ancora più a nord – che si chiama non a caso Castel Dante –, dove secoli dopo sarebbe passato il fronte della Grande Guerra. Porta il nome del poeta anche l'ossario dove sono sepolti ventimila caduti, italiani e austriaci insieme. Tra loro ci sono Fabio Filzi e Damiano Chiesa.

Damiano Chiesa, nato a Rovereto, e quindi suddito austriaco, era uno studente del Politecnico di Torino. Sarebbe potuto restare tranquillo in Piemonte; ma allo scoppio del conflitto volle arruolarsi volontario con l'esercito italiano, come Cesare Battisti e Nazario Sauro. Fu mandato sul fronte trentino, che conosceva bene. Il suo nome di guerra era Mario Angelotti. Fatto prigioniero il 16 maggio 1916, venne identificato da un orologiaio prussiano che viveva a Rovereto. Altri compaesani confermarono. Rodolfo Bonora, che a Rovereto era assessore, pur riconoscendolo negò invece che Mario Angelotti fosse in realtà Damiano Chiesa.

Un generale austriaco gli evitò l'impiccagione, ma non gli oltraggi di altri ufficiali. Chiesa fu processato e fucilato in un'unica giornata, il 19 maggio, nel Castello del Buonconsiglio a Trento. Riuscì a scrivere alla famiglia questa lettera, senza aver tempo di rileggerla: «Papà, mamma, Beppina, Jole ed Emma carissimi, negli ultimi momenti di mia vita, confortato dalla fede, dalla santa comunione e dalle belle parole del curato di campo, mando a tutti i miei cari i saluti più cari, l'assicurazione che nell'altra vita non sono morto, che sempre vivo in eterno e che sempre pregherò per voi tutti. Devo ringraziarvi di tutto quanto avete fatto per me e domando il vostro perdono. Sempre vostro affezionatissimo figlio, Damiano».

Fabio Filzi era il figlio di un professore del liceo di Rovereto. Anche lui volontario, divenne sottotenente nella compagnia comandata da Cesare Battisti. Gli austriaci li presero sul monte Corno, il 10 luglio 1916; due giorni dopo li impiccarono entrambi, sempre nel castello di Trento. Alla notizia Fausto Filzi, fratello di Fabio, emigrato in Argentina, tornò in Italia per combattere; cadrà nel 1917, sull'altopiano di Asiago.

Cesare Battisti era il più noto tra i martiri. Una piccola folla di ufficiali e soldati austriaci si radunò per farsi fotografare sorridente attorno al suo corpo, con il boia in giacca scura e bombetta che reggeva felice la tavola su cui Battisti era adagiato. La corda si era lacerata, e il condannato – con le vertebre del collo già spezzate – dovette essere impiccato una seconda volta. Quella foto infame suscitò rabbia e indignazione non solo in Italia. Lo scrittore Karl Kraus, ebreo boemo vissuto e morto a Vienna, la pubblicò nel suo libro, «Gli ultimi giorni dell'umanità», per condannare la ferocia dei connazionali.

Anche Trento, già prima della Grande Guerra, aveva voluto la sua statua di Dante, che con un braccio indica le Alpi. Giosuè Carducci scrisse per l'occasione una poesia intitolata «Per il monumento di Dante a Trento», in cui cerca un po' di imitarne lo stile, dal linguaggio alla scelta delle terzine. Forse non è l'opera più riuscita di Carducci; però impressiona la chiusa, in cui si immagina che l'Alighieri attenda da secoli, all'ombra delle montagne da lui cantate, la liberazione della città e il suo ritorno all'Italia:

Cosí di tempi e genti in vario assalto
Dante si spazia da ben cinquecento
anni de l'Alpi sul tremendo spalto.
Ed or s'è fermo, e par ch'aspetti, a Trento.

Anziché i dinosauri, Dante pone a guardia della grande frana e del settimo cerchio il Minotauro, metà uomo e metà toro, simbolo della bestialità dei peccatori qui puniti: i violenti. Virgilio lo ammansisce con un grido: il nuovo arrivato non è Teseo che torna a ucciderlo, con l'aiuto di Arianna. Il Minotauro appare tramortito, come un toro portato al macello, che ha ricevuto il colpo mortale e barcolla negli spasimi dell'agonia; e Dante ne approfitta per passare e scendere giù, camminando a fatica sui massi che cedono sotto il suo peso.

Virgilio evoca così il mito di Teseo, figlio di Egeo, re di Atene. Al tempo la città era soggetta a Minosse, signore di Creta, che aveva imposto un tributo umano, per sfamare il figlio mostruoso: ogni anno sette ragazzi e sette ragazze ateniesi venivano dati in pasto al Minotauro, chiuso nel labirinto. Teseo promette al padre di mettere fine a quell'usanza barbara e umiliante, e parte per Creta con una nave dalle vele nere: se riuscirà nell'impresa, al ritorno la barca innalzerà vele bianche. Arianna, figlia di Minosse e quindi sorella del Minotauro, si innamora di Teseo, e decide di aiutarlo: gli fornisce una spada avvelenata per uccidere il fratello, e una matassa di filo che, srotolata, gli consentirà di ritrovare il cammino e uscire dal labirinto. Teseo sconfigge la fiera, riporta i quattordici giovani ad

Atene, ma nella fretta dimentica di cambiare le vele; e il padre Egeo, quando vede all'orizzonte la nave dalle vele nere, disperato si getta nel mare che ora porta il suo nome. Quanto ad Arianna, sarà abbandonata dall'eroe ingrato sull'isola di Nasso; dove sarà consolata da Dioniso, che avrà da lei quattro figli.

Elusa la sorveglianza del Minotauro, Dante guarda in basso e intravede in fondo alla frana infernale un fiume di sangue. Qui giacciono per l'eternità coloro che nella «vita corta» furono violenti contro il prossimo: più sangue hanno versato, più a fondo sono immersi nel «bollor vermiglio». I loro guardiani sono i centauri, creature favolose nate dall'amore tra Issione, re dei Lapiti, e una nuvola.

Andò così. Issione si era infatuato di Era, la regina degli dei. Ma Zeus non si era ingelosito più di tanto. Per sorridere alle spalle dell'intraprendente mortale, e per evitare che la moglie cadesse in tentazione, aveva dato le sembianze di Era a una nube. Da quell'unione non potevano che nascere creature stravaganti (quanto a Issione, fu sbattuto nell'Ade, legato a una ruota di fuoco).

Metà uomini e metà cavalli, i centauri nella tradizione classica sono feroci e violenti; forse anche a Dante, come a Boccaccio, ricordano i mercenari che terrorizzavano l'Italia medievale. Appena lo vedono, tre di loro gli vengono incontro, tendendo minacciosi l'arco.

Virgilio indica il primo: è Nesso, che tentò di rapire Deianira, la sposa di Ercole. L'eroe lo uccise con una freccia intinta nel sangue dell'Idra di Lerna. Ma prima di morire Nesso preparò la vendetta: donò a Deianira la sua camicia insanguinata, assicurandole che se il marito si fosse innamorato di un'altra donna, e avesse indossato la camicia, sarebbe tornato da lei. Così, quando Ercole perse la testa per la principessa Iole – al punto da indossare abiti femminili mentre lei si pavoneggiava con la pelle di leone e la clava –, Deianira gli diede la camicia di Nesso, che lo avvelenò. Tormentato da dolori lancinanti, Ercole preferì la morte; siccome nessun uomo poteva ucciderlo, si gettò su una pira ardente.

Accanto a Nesso c'è Folo, che nel mito greco era un centauro insolitamente mite; ma Dante presta fede a Ovidio, che racconta di quando Folo si ubriacò alle nozze di Piritoo, e tentò di rapire la sposa e altre invitate. Al centro del gruppo avanza il capo dei centauri: Chirone, il precettore di Achille.

Chirone ha la nobiltà che hanno i cavalli, un animale che il poeta ama. Saggio e accorto, avverte i compagni: Dante muove i sassi che tocca con i piedi; non è un'ombra, è ancora vivo. Virgilio gli spiega il motivo: Dante non è un ladrone, non è lì per restare; ha bisogno di un centauro che gli faccia da guida e lo aiuti, portandolo in groppa, a guadare il fiume di sangue. Chirone annuisce e incarica Nesso di scortare il poeta, e di indicargli le anime maledette.

Dante non si ferma a parlare con nessuna di loro. Se altri peccatori conservano un tratto di dignità umana, i violenti partecipano della natura bestiale del Minotauro e dei più feroci tra i centauri. Immersi sino agli occhi sono i tiranni, tra cui Dionigi di Siracusa e, un po' a sorpresa, Alessandro Magno: liquidato come uno sterminatore di popoli. Quello con il pelo nero è «Azzolino», Ezzelino da Romano, signore della Marca trevigiana, tanto crudele che i contemporanei lo consideravano figlio di Satana, e Oscar Wilde lo cita nel Ritratto di Dorian Gray: «La sua malinconia poteva essere curata solo dallo spettacolo della morte». Quello dai capelli biondi è invece Obizzo d'Este, signore di Ferrara, ucciso dal figlio Azzo, chiamato da Dante – che decisamente non ama gli Estensi – «figliastro»: annotazione coraggiosa, visto che quando Dante cominciò a scrivere l'Inferno Azzo era ancora vivo.

Gli assassini sono immersi nel sangue sino alla gola. Nesso ne indica a Dante uno solo, che sta in disparte come chi ha commesso un delitto particolarmente efferato. È Guido di Montfort, che per vendicare il padre morto combattendo contro Enrico III d'Inghilterra uccise il nipote del re, anche lui di nome Enrico, «in grembo a Dio»: in chiesa, a Viterbo, durante la messa. Fu un delitto di cui parlò tutta l'Europa, anche perché in chiesa quel giorno c'erano Carlo d'Angiò e il re di Francia, Filippo l'Ardito, e nessuno dei due intervenne a punire l'omicida; nella Divina Commedia è implicito il biasimo nei loro confronti.

Dante indica la vittima come «lo cor che 'n su Tamisi ancor si cola», il cuore che ancora si onora sul Tamigi. Pare che il cuore del giovane Enrico fosse posto in un'urna d'oro, in cima a una colonna sul ponte di Londra. Ma forse il poeta si riferisce alla statua del principe eretta nell'abbazia di Westminster, che regge una coppa con l'iscrizione in latino «affido il cuore trafitto dalla spada a colui del quale sono consanguineo»; cioè il cugino Edoardo, che sarebbe salito sul trono d'Inghilterra.

Vi siete persi? Considerate che tutto questo – sovrani e guerre, battaglie e omicidi nella cattedrale – Dante è in grado di evocarlo con un solo verso. Per avvicinare la storia alla nostra sensibilità, va detto che Edoardo è il re inglese abile e crudele che fa evirare e uccidere William Wallace, l'eroe scozzese interpretato da Mel Gibson in Braveheart.

Nel frattempo il poeta sta già guardando le anime dei feritori, immersi nel sangue fino al busto, mentre il centauro gli elenca altri dannati puniti nella «riviera del sangue»: Attila, «che fu flagello in terra»; Pirro, re dell'Epiro, che devastò l'Italia meridionale prima di essere sconfitto dai Romani a Malevento, da allora chiamata Benevento; Sesto, il figlio di Pompeo, che si fece pirata e saccheggiò le coste del Tirreno.

Con loro ci sono due predoni dei tempi della giovinezza di Dante, il cui nome doveva essergli rimasto impresso: Rinieri dei Pazzi, capo ghibellino che spadroneggiava in Valdarno; e Rinieri da Corneto, che seminò il terrore in Maremma.

La Maremma oggi è un dolce paesaggio di colline che digradano verso il mare, punteggiate da casali proprietà di benestanti che si battono come leoni contro il progetto dell'autostrada, che darebbe un po' di sollievo al traffico pericolosissimo dell'Aurelia. Ma nel Medioevo era una delle zone più remote d'Italia: terre basse e malsane infestate dalla malaria, e fitte foreste abitate solo da cinghiali.

Guadato il fiume di sangue, Dante si ritrova in una selva ancora più folta e aspra di quella maremmana.

«Non fronda verde, ma di color fosco»; non rami dritti, ma nodosi e aggrovigliati; non frutti, ma spine velenose; non canti di uccelli, ma i lamenti delle Arpie. Qui fanno i loro nidi le creature con il ventre pennuto, le ali, gli artigli, ma il viso di donna: le stesse che nell'Eneide cacciano i Troiani dalle isole Strofadi.

L'episodio è tra i più noti del poema di Virgilio. Per tre volte Enea e i suoi preparano un banchetto, per tre volte gli uccelli mostruosi lo rovinano con i loro escrementi. E l'arpia Celeno terrorizza tutti con la sua profezia: i Troiani dovranno soffrire la fame, al punto da divorare anche le mense. Sarà Iulo, il figlio di Enea, a chiarire l'enigma. Quando sbarcheranno in Italia, e per la fame mangeranno anche le focacce di farro essiccato su cui sono serviti i cibi, Iulo farà notare che stanno divorando le mense. Il vaticinio di Celeno si è compiuto: i Troiani sono giunti alla fine del loro peregrinare.

Ma qui, nell'Inferno, in questa selva strana, non c'è nulla di consolatorio. Dante ascolta grida strazianti venire da ogni parte, però non vede nessuno, e pensa che siano voci di gente nascosta fra i tronchi. Allora Virgilio lo invita a spezzare qualche piccolo ramo di una pianta. Dante strappa un ramoscello da un grande pruno, e sente il tronco gridare: «Perché mi scerpi?/ non hai tu spirto di pietade alcuno?/ Uomini fummo, e or siam fatti sterpi». E dal ramo escono parole e sangue.

Non si vedono anime nel bosco infernale: il bosco stesso è fatto dalle anime dei suicidi, che hanno commesso violenza contro se stessi. Si sono liberati dalla paura della morte, ma soggiacciono ora a una punizione eterna: hanno gettato via il loro corpo, e adesso sono imprigionati dentro alberi, arbusti, sterpaglie.

Dante non condivide l'etica stoica, che considerava il suicidio come esempio di fortezza. Farà un'eccezione collocando in Purgatorio – e non nell'Inferno – Catone l'Uticense, l'ultimo difensore della Repubblica, che piuttosto di finire nelle mani di Giulio Cesare si trafigge il ventre con la spada. Gli amici lo soccorrono e gli fasciano la ferita, ma lui si strappa le bende; e, come scrive Seneca, la sua anima valorosa «non emisit, sed eiecit»; non la esalò, la strappò via. Dante risparmia a Catone la selva dei suicidi e lo pone ai piedi della montagna del Purgatorio. E di lui Virgilio dirà: «Or ti piaccia gradir la sua venuta:/ libertà va cercando, ch'è sì cara,/ come sa chi per lei vita rifiuta».

Per il resto, il poeta segue la dottrina di sant'Agostino, che ne «La città di Dio» medita sul suicidio «ob metum dedecoris», per paura del disonore, e finisce per condannarlo: la vita è un dono del Signore; l'uomo in nessun caso ha diritto di dissiparlo.

Ma la partecipazione emotiva di Dante al dramma dei suicidi è tale da suscitare nel lettore un dubbio. Forse lui stesso ha pensato di togliersi la vita; per poi scegliere di sopportare l'esilio, e riversare la sua disperazione e la sua energia nella scrittura del grande poema.

Davanti allo strazio degli alberi che stillano sangue, Dante ammutolisce, lascia cadere il ramo, e attende timoroso. Come sempre, quando il suo animo è scosso, interviene Virgilio a soccorrerlo. Virgilio non è solo una guida, non è solo un maestro; è l'intelligenza morale che aiuta Dante a conoscere l'animo umano. Qui lo trae d'impaccio, e chiede al dannato di perdonar-

93

lo, dicendo più o meno questo: «Se il mio amico avesse potuto credere ciò che finora aveva soltanto letto in
un libro, non avrebbe mai steso la mano contro di te;
ma la vostra condizione è così incredibile che l'ho indotto a strappare un ramo, a fare una cosa che a me
stesso pesa».

Il libro cui Virgilio allude è ovviamente l'Eneide.
Siamo in Tracia. Per ornare l'altare dei sacrifici, Enea
strappa alcuni ramoscelli di mirto, e ne vede uscire
sangue. I rami sono spuntati dalle frecce e dalle lance
con cui è stato ucciso un principe troiano, che ancora vive come fantasma e sanguina, perché insepolto.
È Polidoro, figlio di Priamo. Il padre l'aveva mandato da un amico, il re Polimestore, con una parte del tesoro della città, da mettere al sicuro durante l'assedio
dei Greci. Ma dopo la caduta di Troia Polimestore ha
fatto uccidere Polidoro a tradimento, per impossessarsi delle ricchezze dei vinti. Commosso, Enea gli dà
sepoltura; e l'anima dell'infelice può finalmente raggiungere l'Ade.

Dante si è ispirato a questa storia per raffigurare la
selva dei suicidi. Ma ora decide di riportarne uno alla
vita, con i suoi versi, e di farne un personaggio tra i
più potenti dell'Inferno.

L'albero di cui ha spezzato un ramo imprigiona l'anima di Pier delle Vigne, il consigliere di Federico II. «Io
son colui che tenni ambo le chiavi / del cor di Federigo,
e che le volsi, / serrando e diserrando…» Quasi come
un amante, Pier delle Vigne aveva le chiavi del cuore dell'imperatore, e lo apriva e lo chiudeva, in modo

così sapiente e soave da allontanare ogni altra persona dalla sua confidenza.

In effetti Piero, originario di un'umile famiglia di
Capua, era diventato il primo collaboratore dell'uomo più potente al mondo, che l'aveva nominato capo
della cancelleria. Controllava l'amministrazione della giustizia, la corrispondenza di Federico, e anche
la sua politica culturale. I poeti della scuola siciliana lo consideravano un punto di riferimento, e lo stile con cui dettava le lettere era studiato nelle scuole
di retorica. Le sue opere erano ben conosciute anche
a Firenze: non a caso, per rendergli omaggio, Dante
lo fa parlare con parole ricercate, impreziosite da an-
titesi e allitterazioni.

Pier delle Vigne rivendica di essere sempre stato
fedele al suo signore e ai suoi doveri, tanto da perdere il sonno e la vita. L'invidia – «morte comune e
de le corti vizio», male diffuso ovunque e in particolare a corte –, che come una meretrice mai distolse il
suo sguardo venale dalla casa di Cesare, infiammò
gli animi dei cortigiani contro di lui; e gli infiamma-
ti riuscirono a infiammare Federico. Così il cancelliere cadde in disgrazia, fu arrestato come traditore e condotto nel sinistro carcere di San Miniato al
Tedesco, vicino a Pisa; dove gli cavarono gli occhi.
Una pena terribile ma non inusuale nel Medioevo e
nell'antichità, quando la mutilazione era più diffusa della detenzione. Il primo legislatore della storia
greca, Zaleuco di Locri, punì con l'accecamento gli
adulteri; ma quando per adulterio fu condannato suo
figlio, il padre ottenne che fosse cavato un occhio al
giovane, e uno a lui.

A Pier delle Vigne non fu concesso questo. Non gli

venne lasciata neppure una corda nella cella per impiccarsi. Così si uccise sfracellandosi la testa contro il muro. *vendetta revenge –*

Piero sceglie il suicidio «per disdegnoso gusto»: stupenda espressione con cui Dante indica quel compiacimento di noi stessi, che tutti abbiamo sentito quando ci è stato inflitto un danno immeritato; quel misto di masochismo e di disprezzo per gli altri, per la sorte e talora per la vita stessa; quel sentimento che ha radici nella superbia e nei casi più estremi può indurre a togliersi la vita. Come per punire chi rimane, come per dimostrare la propria superiorità sul destino e su chi si è comportato con malvagità. Ma in questo modo si commette un errore e nello stesso tempo un crimine: il mio animo, dice Pier delle Vigne, «ingiusto fece me contra me giusto»; mi rese ingiusto nei confronti di me stesso, che pure ero giusto.

Mai il cancelliere ha tradito il suo imperatore: lo giura a Dante sulle «radici d'esto legno», e Dante gli presta fede, schierandosi dalla sua parte. Piero gli chiede di difendere la sua memoria, e il poeta lo farà: anche grazie alla Divina Commedia, tra i contemporanei si diffonderà la convinzione che le accuse contro di lui erano ingiuste. E nel Paradiso comparirà un altro consigliere asceso al massimo dell'onore e poi accusato ingiustamente di aver tradito il suo sovrano: Romeo di Villanova.

Secondo la leggenda, Romeo era un pellegrino che, di ritorno da Santiago di Compostela, si era fermato alla corte di Provenza. Il suo carisma e la sua autorevolezza colpirono il conte Berengario, che gli affidò incarichi di crescente importanza. Lui raddoppiò il patrimonio del conte e organizzò il matrimonio delle sue quattro figlie: Margherita sposò il re di Francia Luigi IX, Beatrice suo fratello Carlo d'Angiò; Eleonora andò in moglie al re d'Inghilterra Enrico III, Sancha a suo fratello Riccardo di Cornovaglia. Ma anche Romeo cadde in disgrazia per l'invidia degli altri cortigiani, che lo accusarono ingiustamente di concussione. Lui respinse l'idea del suicidio, lasciò la corte, e partì in esilio, povero come era arrivato. Una sorte in cui Dante riconosce la propria.

Prima di lasciare la selva dei suicidi, il poeta interroga ancora lo «spirito incarcerato» di Pier delle Vigne. Vuole sapere come l'anima si lega ai rami nodosi, e se qualcuna può liberarsene. «Allor soffiò il tronco forte, e poi/ si convertì quel vento in cotal voce:/ "Brievemente sarà risposto a voi".» Dante quando scrive di Pier delle Vigne è baciato dal dio della poesia, e riesce a essere potente e lieve insieme. Piero risponde: quando l'anima è strappata al corpo, Minosse la manda qui nel settimo cerchio; cade nella selva, germoglia come un seme di farro, cresce sottile, e poi diventa pianta selvatica; le Arpie, mangiandone le foglie, la fanno urlare di dolore. Quando verrà il giudizio finale, anche l'anima dei suicidi riavrà il proprio corpo, ma non potrà rivestirsene; perché non è giusto riavere quel che ci si è tolto. I corpi saranno trascinati quaggiù; e saranno appesi nella selva, ognuno penzolante al pruno germogliato dalla propria ombra molesta. Una visione tremenda ma grandiosa.

Dante sta tentando di immaginare come sarà il paesaggio infernale dopo la fine del mondo, quando al-

lurking

din l'improvviso il silenzio e la nobiltà della scena sono rotti da un frastuono. Come il cacciatore appostato sente arrivare il cinghiale, la muta dei cani, la turba dei battitori, così Dante vede sopravvenire due spiriti nudi e graffiati, che corrono tanto veloci da spezzare ogni ramo. Sono scialacquatori: nella selva infatti vengono puniti, oltre ai suicidi, anche coloro che commisero violenza contro i propri beni.

Il primo è Arcolano di Ricolfo Maconi, ricchissimo senese, che appartenne alla «brigata godereccia» (chiamata anche spendereccia): dodici rampolli di buona famiglia che misero in comune i loro beni, ammucchiarono 200 mila fiorini, e in venti mesi li dissiparono. Divenuto povero, Arcolano cercò la morte in battaglia: quando gli aretini tesero un'imboscata ai senesi presso la Pieve al Toppo, lui si gettò tra i nemici; allo stesso modo ora corre per sottrarsi a cagne nere, bramose come segugi appena sciolti dalla catena.

Il secondo, più lento, è Iacopo da Sant'Andrea, celebre per le sue bizzarrie. Di lui Boccaccio racconta che, desiderando vedere un incendio, diede fuoco a una villa di sua proprietà. Iacopo è senza fiato, e si getta in un cespuglio, facendo un solo nodo di sé e dell'anima che lì dimora. In un attimo le cagne lo sbranano, e se ne vanno tenendo ognuna un pezzo di carne tra le fauci.

Lo spirito senza nome, che si è trovato in balia di quelle fiere, protesta con Iacopo: «Che colpa ho io de la tua vita rea?». Impietosito, Virgilio gli chiede: «Chi fosti, che per tante punte/ soffi con sangue doloroso sermo?». È un'altra immagine di grande forza, come in certi film quando dal corpo del ferito morente pulsa e schizza via il sangue.

Il suicida non dice il suo nome. Dice solo che è di Firenze: la città un tempo dedicata a Marte, che divenuta cristiana si affidò a san Giovanni Battista; ma il dio della guerra la renderà sempre infelice con la sua malefica arte. Dante presenta Firenze come maledetta, destinata ai conflitti, inevitabilmente lacerata dalle lotte interne. Marte, scrive il poeta, è ancora onorato in città: quando Attila la distrusse (in realtà Firenze fu distrutta da Totila, re degli Ostrogoti), i cittadini che la ricostruirono recuperarono un frammento di una statua equestre dal tempio di Marte, là dove costruirono il battistero, e lo collocarono presso il Ponte Vecchio. E solo la sopravvivenza di questa effigie del dio della guerra ha fatto sì che egli non distruggesse la città.

Il dannato rimane anonimo. Di sé racconta una sola cosa, in un solo verso: «Io fei gibetto a me de le mie case», feci una forca a me stesso in casa mia. Si è molto discusso su chi sia il personaggio misterioso. Qualcuno pensa a Lotto degli Agli, giudice, che per il rimorso di aver condannato a morte un innocente in cambio di denaro si appese in casa con la propria cintura d'argento; altri hanno indicato Rocco de' Mozzi, ricchissimo mercante che, dopo aver dilapidato i propri beni, per la disperazione si impiccò; non a Firenze, bensì a Parigi.

In realtà, se Dante avesse voluto indicare un nome, l'avrebbe fatto. Invece il suicida resta anonimo; perché deve simboleggiare i tanti fiorentini che si tolsero la vita pur di non affrontare l'esilio, che equivaleva alla morte civile. Di nuovo torna l'ombra del tremendo pensiero di Dante, di nuovo si affaccia la selva dei milioni di uomini che non resistettero alla tentazione

Undici

Come l'uom s'etterna

Dove Dante non infierisce sui sodomiti, ritrova il suo maestro
e insegna a vivere per sempre nei libri

La selva dei suicidi circonda e racchiude un deserto
di sabbia arida e spessa. Dante lo paragona al deserto libico, attraverso cui Catone l'Uticense condusse i
pompeiani sconfitti per sfuggire all'ira di Cesare; e alle
regioni dell'India dove Alessandro Magno vide piovere dal cielo lingue di fuoco, come «neve in alpe sanza
vento». A sfogliare un atlante di oggi, viene in mente
il sabbione che i brasiliani chiamano Lençóis, lenzuola:
una distesa bianchissima che arriva fino al mare. Oppure i laghi di sale in Cile e in Bolivia, che non lasciano crescere neppure una pianta. Ma il deserto infernale supera per orrore qualsiasi landa terrena.

Ovunque vagano anime nude, fitte come greggi, e
tutte piangono miseramente. Quelle che più si lamen-
tano giacciono supine: sono i bestemmiatori. Gli usurai sono accovacciati, nel tentativo di ripararsi. I più
numerosi sono i sodomiti, che corrono scuotendo le
mani, per scostare le fiamme (va detto che Dante non
infierisce su di loro: nella Divina Commedia non c'è
traccia delle torture genitali inflitte ai sodomiti negli
affreschi del tempo; e anzi alcuni sono in Purgatorio,
quindi salvi).

Dante sta camminando sull'orlo della selva dei suicidi, cercando un posto dove attraversare il sabbione, quando nota un gigante sdegnoso, indomito anche sotto la pioggia di fuoco. Chiede a Virgilio chi sia, ma il dannato sente e subito risponde, anzi proclama: «Qual io fui vivo, tal son morto»; Giove potrebbe stancare il suo fabbro a forza di fargli forgiare fulmini, potrebbe sfiancare Vulcano e i suoi aiutanti nella fucina nera dell'Etna, e saettarlo con tutta la sua forza; ma non riuscirebbe a piegarlo. Virgilio ribatte con durezza, e insolitamente grida: la punizione consiste proprio nel fatto che la sua superbia resta indomata; nessun tormento sarebbe adeguato, fuori della sua stessa rabbia.

L'uomo che ha la fierezza di Farinata senza averne la dignità è Capaneo, uno dei sette re che assediarono Tebe, e quindi uno dei protagonisti della Tebaide di Stazio, il poeta amato da Dante. La storia prende origine dal mito di Edipo, e dai suoi delitti. Senza saperlo, Edipo uccide il padre Laio e sposa la madre Giocasta, da cui ha due gemelli: Eteocle e Polinice. Essendo nati nello stesso momento, entrambi possono vantare il diritto al trono: così si accordano per regnare a turno, un anno ciascuno. Quando Eteocle rifiuta di cedere il posto al fratello, Polinice guida una spedizione per riprendersi la città, alleato con altri sei re. E il primo a scalare le mura di Tebe è Capaneo.

Stazio gli attribuisce parole coraggiose e sprezzanti: «La paura creò nel mondo gli dei»; «il mio dio è il coraggio». Capaneo sfida apertamente Dioniso ed Ercole, protettori dei Tebani. Ed esorta Zeus a mostrare il proprio volto, anziché limitarsi a spaventare le donnicciole con i tuoni; provocato, Zeus lo fulmina con la sua folgore.

Qualcosa del genere – con diverso esito – farà il giovane Benito Mussolini. È il 26 marzo 1904. Esule in Svizzera, dove la settimana prima ha tenuto una conferenza per commemorare la Comune di Parigi davanti a Lenin (che ricavò di lui un'ottima impressione), il futuro Duce dibatte a Losanna con un pastore evangelico. In platea ci sono cinquecento persone. Argomento: l'esistenza di Dio. Per impressionare l'uditorio, Mussolini dà all'Onnipotente dieci minuti di tempo per fulminarlo; avendo Lui altro da fare, Benito a differenza di Capaneo la farà franca; e concluderà che Dio non esiste. Mussolini era allora nella fase socialista e rivoluzionaria. Venticinque anni dopo firmerà il Concordato con la Chiesa, e il Papa lo definirà «l'uomo che la Provvidenza ci ha fatto incontrare».

Capaneo ha una sua grandezza, non solo fisica. Ma Dante non può che condannare il suo materialismo, il suo disprezzo per Dio, la sua pretesa di ridurre il mondo all'orgoglio personale. Poco importa che sia un personaggio della letteratura classica: nell'Inferno l'antichità e il cristianesimo formano un'unica storia; e il rifiuto della divinità è un peccato senza tempo. Così la superbia di Capaneo, come quella di ogni altro uomo, trova la propria pena in se stessa.

La sabbia ardente, la pioggia di fuoco, la folgore di Zeus: non è un caso che Dante evochi proprio ora la potenza quasi infernale dell'Etna, che chiama con il nome antico, Mongibello. *Gebel* in arabo significa appunto «montagna»: il più grande vulcano d'Europa è il monte per eccellenza.

Anche l'Etna – come Cariddi, che domina dall'alto – è un luogo magico e misterioso. Qui Dante colloca l'antro di Vulcano, che altri situano invece nell'isola che ne porta il nome. Vulcano è la prima delle Eolie che si incontra partendo dalla costa siciliana: montagne di quasi mille metri che si ergono dal mare, come la montagna del Purgatorio nella Divina Commedia. L'Etna si riaffaccerà nel Paradiso, dove Carlo Martello d'Angiò parlerà della «bella Trinacria» coperta di fumo: e Dante spiegherà il fenomeno in modo scientifico, come nubi di zolfo, anziché classico, con l'ansimare del gigante Tifeo colpito da Giove e incatenato sotto la montagna.

Nella bocca dell'Etna si gettò il filosofo Empedocle, con la speranza di diventare immortale: di lui rimasero soltanto i calzari. Oggi sul vulcano i turisti d'inverno sciano, guardando lo Ionio; ogni tanto qualcuno respira i miasmi e si sente male. A Milo – a metà strada tra il mare e le colate di lava dove finisce la strada – ha composto le sue opere il più importante musicista italiano dell'ultimo mezzo secolo, Franco Battiato. Per condividere la stessa aura, il grande Lucio Dalla aveva comprato casa accanto alla sua.

Dante sull'Etna non era mai stato. Aveva visto invece il Bullicame di Viterbo, la sorgente sulfurea d'acqua bollente che da secoli alimenta la grande vasca di pietra delle terme dei Papi. Come dal Bullicame usciva un ruscello d'acqua che le prostitute della zona – cui era proibito servirsi dei bagni pubblici – dividevano tra loro, così dalla selva sfocia nel sabbione infernale un fiumicello, «lo cui rossore ancor mi raccapriccia». Il letto e le spallette sono di pietra: Dante intuisce che costeggiando il fiume potrà attraversare il deserto.

Lungo il cammino, Virgilio gli spiega l'origine dei quattro corsi d'acqua dell'Inferno: l'Acheronte, lo Stige, il Flegetonte e il Cocito. In mezzo al Mediterraneo c'è un'isola, una volta splendida e ora decaduta, Creta: sotto il suo re, Saturno, in un tempo prima del tempo, il genere umano visse nell'innocenza la propria età dell'oro. Nelle viscere della montagna più alta di Creta, il monte Ida – dove crebbe il piccolo Zeus –, «sta dritto un gran veglio», un grande vecchio, che volge le spalle all'Egitto e guarda Roma come uno specchio in cui riconoscersi. Il vecchio è il simbolo della civiltà umana, che nasce a oriente e si sposta verso occidente, attraversa la Grecia e arriva fino a Roma, sede dell'Impero dei Cesari e poi della Chiesa. La testa del «gran veglio» è d'oro fino, le braccia e il petto sono di puro argento, il busto fino alle gambe è di rame; il resto è di ferro, tranne il piede destro, che è di terracotta, e quindi fragile.

Dante si è ispirato a un passo della Bibbia. Il grande vecchio descritto nella Divina Commedia somiglia molto alla visione di Nabucodonosor, l'imperatore che deportò gli Ebrei a Babilonia. È una storia affascinante, che va raccontata, anche per capire meglio come Dante crea il suo universo poetico.

Nabucodonosor convoca i maghi di corte, gli astrologi, gli incantatori, i sacerdoti caldei, e non si limita a chiedere l'interpretazione del suo sogno; pretende che glielo descrivano. Non sono forse indovini? Ovviamente nessuno è in grado di farlo; e tutti vengono messi a morte. Poi vengono interpellati gli ebrei. Il giovane Daniele prega Dio perché gli riveli la visione del sovrano; e Dio lo accontenta. Così Daniele può dire a Nabucodonosor: «Una statua enorme, di straordinario splendore, si ergeva davanti a te con terribile aspetto, o re. Aveva la testa d'oro puro, il petto e le braccia d'argento, il ventre e le cosce di bronzo, le gambe di ferro e i piedi in parte di ferro e in parte di creta. Mentre stavi guardando, una pietra si staccò dal monte, ma non per mano d'uomo, andò a battere contro i piedi della statua, e li frantumò. Allora si frantumarono anche il ferro, l'argilla, il bronzo, l'argento, l'oro, e divennero come la pula sulle aie d'estate; il vento li portò via senza lasciar traccia; mentre la pietra, che aveva colpito la statua, divenne una grande montagna che riempì tutta quella regione».

Dopo aver indovinato il sogno, Daniele offre a Nabucodonosor anche la spiegazione: «Tu sei la testa d'oro. Dopo di te sorgerà un altro regno, inferiore al tuo; poi un terzo regno, quello di bronzo, che dominerà su tutta la terra. Vi sarà poi un quarto regno, duro come il ferro». Infine «il Dio del cielo farà sorgere un regno che non sarà mai distrutto e non sarà trasmesso ad altro popolo: stritolerà e annienterà tutti gli altri regni, e durerà per sempre».

Nell'interpretazione cristiana, il sogno di Nabucodonosor rappresenta la successione degli imperi: il babilonese, il persiano, quello greco di Alessandro Magno, infine l'Impero romano, destinato a scindersi tra Oriente e Occidente; fino a quando verrà il Regno di Cristo, a concludere la storia e dominare in eterno.

Dante di sicuro ha in mente il passo della Bibbia. Ma conosce anche le Metamorfosi, e la versione che Ovidio dà della storia umana, come una progressiva decadenza rispetto a un'epoca primigenia di ozio e di pace. I metalli che formano le parti del «gran veglio» di Creta rappresentano le varie epoche. Prima viene l'età dell'oro, poi quelle dell'argento, del rame, del ferro; infine l'età presente, di terracotta, più vile e fragile.

poco valore

Qualcuno sostiene che il piede di ferro rappresenti l'Impero, e quello di terracotta la Chiesa, debole perché corrotta. Di sicuro Dante aggiunge alla Bibbia e al mito un elemento di sua invenzione. Ogni parte della statua, tranne la testa, è spaccata da una fenditura, che versa lacrime: è la ferita inferta all'uomo dal peccato originale, che chiude l'età dell'oro, il tempo dell'innocenza, il periodo dell'Eden. Da quella ferita derivano i mali dell'umanità.

Un fiume di lacrime attraversa la storia. Sono le lacrime del mondo, spiega Virgilio, a originare i quattro fiumi dell'Inferno: l'Acheronte, che Dante ha valicato all'inizio del viaggio; la palude Stigia, dove ha incontrato l'odioso Filippo Argenti; il Flegetonte; e infine il Cocito, che vedrà quando scenderà in fondo all'Inferno.

Dante stenta a raccapezzarsi, e chiede: il Flegetonte qual è? E il Lete, come mai non è qui? Paziente, Virgilio spiega: il Flegetonte è il fiume che stanno costeggiando, ed è lo stesso, come si può capire dal rossore sanguigno, in cui sono immersi i tiranni; mentre Dante troverà il Lete in cima alla montagna del Purgatorio, dove le anime bevono l'acqua che farà loro dimenticare i peccati. Un ultimo fiume, simbolo di eterna primavera, lo attende in Paradiso: segno che alla fine dei tempi la storia umana sarà redenta.

Per attraversare il deserto, Dante cammina sugli argini, che gli ricordano quelli del Brenta: il dolce fiume che da Padova scende verso Venezia, ombreggiato dagli alberi e costeggiato dalle più belle tra le ville venete. All'improvviso gli si fa incontro una schiera di anime, che lo scrutano come farebbe un viandante in una notte senza luna, aguzzando la vista alla maniera di un vecchio sarto che deve infilare il filo nella cruna dell'ago. Una di loro lo riconosce, lo afferra per il lembo della veste – è la prima volta che un dannato tocca Dante –, e grida: «Qual maraviglia!».

Il poeta a sua volta fissa quel viso bruciato dalle fiamme, ha una reminiscenza, e si china verso di lui, in un misto di devozione e stupore: «Siete voi qui, ser Brunetto?». Per la prima e ultima volta dà del voi e non del tu a un dannato, per la prima e ultima volta lo chiama «ser», signore. E questo riguardo viene riservato non a uno sconosciuto, ma all'unica figura familiare con cui Dante si ferma a parlare nell'Inferno. Sembra quasi che gli usi una particolare cortesia anche per farsi perdonare di averlo messo lì, nel fuoco, tra i sodomiti.

Dante ha una venerazione per l'uomo che fu il suo maestro. Brunetto Latini – notaio, scrittore, traduttore di Aristotele e di Cicerone – aveva una trentina d'anni più di lui. Guelfo, ambasciatore di Firenze in Francia, dopo la rotta di Montaperti decise di rimanervi da esule. In francese scrisse il «Tesoro», una di quelle enciclopedie medievali che si proponevano di raccogliere e divulgare tutto il sapere umano. Tornato in patria, divenne priore e fu tra i protagonisti della politica fiorentina fino alla morte, nel 1294. E lasciò incompiuto il «Tesoretto»: un poema in cui il protagonista si perde in una selva, incontra personificazioni delle Virtù, parla con grandi personaggi del passato, e si interrompe mentre Tolomeo sta per spiegare i fondamenti dell'astronomia... insomma, l'anticipazione della Divina Commedia.

Brunetto chiede a Dante, che chiama «figliuol», il permesso di accompagnarlo per un poco. Imbarazzato, l'allievo propone di sedersi insieme. Ma questo non è possibile, spiega il maestro: chi si ferma anche solo un attimo dovrà restare per cent'anni esposto alla pioggia di fuoco. Dante pensa allora di scendere dall'argine del fiume, ma si brucerebbe; così cammina con il capo chino, «com' uom che reverente vada».

Brunetto gli domanda che cosa lo porta quaggiù, e Dante riepiloga il suo viaggio, specificando che è cominciato soltanto «ier mattina». Il maestro lo rassicura: «Se tu segui tua stella», la tua inclinazione naturale, il tuo percorso, «non puoi fallire»; e se lui non fosse morto, l'avrebbe aiutato nella sua opera. Eppure, se la gloria poetica è certa, non per questo il futuro sarà facile.

Qui Brunetto conferma le profezie di Ciacco e di Farinata, con parole ancora più dure. Definisce i fiorentini «orbi», «ingrato popolo maligno», gente «avara, invidiosa e superba», «letame», «nido di malizia» e, curiosamente, «bestie fiesolane»: Firenze in effetti era stata fondata dai superstiti della distruzione di Fiesole, rasa al suolo per la colpa di essersi schierata con il ribelle Catilina. Entrambe le fazioni, Neri e Bianchi, «avranno fame di te», vorranno divorare Dante: i Neri perché sono i suoi nemici atavici; i Bianchi perché in esilio il poeta sceglierà di «fare parte per se stesso», rinunciando ai piani della sua fazione per prosegui-

i fiorentini

Schierata — deployed

re la guerra e rientrare a forza in Firenze. Dante tranquillizza il maestro: ormai sa quel che l'attende; che la Fortuna giri la sua ruota come le piace; lui è pronto.

Per i fiorentini che lessero questi versi, sarà stato un affronto sentirsi descrivere in termini così crudi. Per il maestro, invece, Dante ha parole dolcissime. Lo addolora vederlo in questo stato e in questo luogo; se dipendesse da lui, Brunetto sarebbe ancora in vita, perché nella sua mente è incastonata «la cara e buona imagine paterna/ di voi quando nel mondo ad ora ad ora/ m'insegnavate come l'uom s'etterna»; e finché sarò vivo, aggiunge Dante, nella mia opera si vedrà quanto io vi ho stimato.

pains

Qui la poesia dell'Inferno tocca uno dei suoi vertici. Dante sta parlando di un dannato, di un peccatore. Eppure è stato lui a insegnargli come l'uomo può diventare immortale, vivendo nella memoria degli altri, grazie alle sue azioni, e ai suoi libri.

Era questa un'idea molto diffusa nella Firenze del tempo: come si è visto, le personalità dell'epoca – Farinata, Cavalcante e Guido Cavalcanti, Brunetto Latini – erano laici per cui la vita finiva sulla Terra; e anche oggi tanti sono convinti che l'immortalità non sia nell'oltretomba, bensì nel ricordo che lasciamo, nelle nostre opere. Dante crede invece alla salvezza che viene dall'amore e da Dio. Ma la rovina eterna non toglie dignità ai grandi fiorentini con cui si confronta; anzi, la accresce.

Brunetto ha ancora il tempo di indicare alcuni suoi compagni di sventura. Tra loro ci sono letterati, come Prisciano di Cesarea, autore della grammatica latina più diffusa del Medioevo, e Francesco d'Accorso, maestro di diritto a Bologna e a Oxford; e molti chierici, tra cui il vescovo di Firenze Andrea dei Mozzi, trasferito a Vicenza per indegnità. Ma ora Brunetto deve allontanarsi in fretta, per ricongiungersi con la sua schiera. Dante lo paragona ai concorrenti di una corsa campestre: coloro «che corrono a Verona il drappo verde/ per la campagna; e parve di costoro/ quelli che vince, non colui che perde». Anche nudo, sotto la pioggia di fuoco, il maestro mantiene la sua nobiltà d'animo. E prima di partire affida all'allievo la sua opera più importante, «il mio Tesoro,/ nel qual io vivo ancora».

Proprio nel Tesoro Brunetto aveva scritto che «la gloria dona all'uomo prode una seconda vita». Una gloria che lui deve a Dante. Tornano in mente i versi con cui si congeda Pablo Neruda, prima di morire dodici giorni dopo il golpe di Pinochet in Cile, forse per un'iniezione letale ordinata dal dittatore: «Ma perché chiedo silenzio/ non crediate che io muoia./ Mi accade tutto il contrario:/ accade che sto per vivere». E torna in mente l'antico frammento di un lirico greco, Callimaco, che così ricordava un poeta del suo tempo:

Qualcuno mi disse della tua morte,
Eraclito, e piansi. E ricordai allora
le molte volte che parlando insieme
ci raggiunse la sera. Ora tu, amico
d'Alicarnasso, sei da lungo tempo
cenere in qualche luogo.
Ma vivono per sempre i tuoi «Usignoli»:
su di loro Ade che tutto rapina
non metterà le mani.

Dodici

Dante in deltaplano

Dove ci si imbatte in Dino Campana, si fa visita a Giotto
e si vola come sulle montagne russe

Dante ora sente uno strano rumore, simile al ronzio che
fanno gli alveari: è il rimbombo della cascata del Flegetonte, che precipita nell'ottavo cerchio dell'Inferno.
Il deserto infuocato sta per finire. Ma prima il poeta
avrà ancora un incontro da ricordare.

Tre ombre vengono correndo verso di lui, gridando per richiamare la sua attenzione: dall'abito hanno capito che è fiorentino. All'epoca, scrive Boccaccio,
«ciascuna città aveva un suo singular modo di vesti-
re, distinto e variato da quello delle circonvicine».
Ma com'era vestito Dante? Questo, Boccaccio non lo
dice. Qualcosa si può intuire dalla «Nuova Cronica»
di Giovanni Villani, grazie a cui sappiamo molte cose
della Firenze del Trecento: Villani aveva quindici anni
meno di Dante, e morì di peste mentre scriveva il suo
libro, in modo così improvviso da lasciare una frase a
metà. Secondo lui, l'abito dei fiorentini «era il più bello e nobile e onesto che di niuna altra nazione, a modo
di togati Romani». Non a caso Dante viene raffigurato come un senatore dell'antica Roma, con una toga di
solito rossa e l'immancabile corona di alloro; anche se

a essere incoronato in Campidoglio fu Petrarca. Forse Dante non ha mai portato una toga rossa e una corona d'alloro in tutta la sua vita (di sicuro, però, la tradizione della moda e delle calzature fiorentine era già cominciata).

I tre dannati che si stanno avvicinando sono invece nudi, con piaghe «ricenti e vecchie» aperte dalle fiamme: un aspetto così pietoso che, mentre scrive, il poeta ancora se ne rattrista. Virgilio lo avverte che, nonostante le sembianze miserevoli, in vita furono persone importanti. Dante si incuriosisce, e si ferma sugli argini per stare con loro; ma le anime continuano a camminare in cerchio, di fronte a lui. Per la legge infernale non possono fermarsi; e ruotando fissano il poeta nel tentativo di riconoscerlo, come lottatori nudi, unti d'olio per impedire la presa dell'avversario, attenti a dove invece possono afferrarlo per scaraventarlo a terra. Un'immagine molto bella e moderna, che possiamo rivedere in una finale olimpica di lotta, o nella tensione immobile dei ciclisti in surplace.

I tre fiorentini non hanno perso la dignità che avevano nella vita terrena, e subito la rivendicano: a dispetto della miseria del luogo e del loro volto annerito e scorticato, sono stati davvero uomini famosi.

Il primo a parlare è Iacopo Rusticucci. È una delle «anime più nere» che, secondo Ciacco, Dante avrebbe incontrato nella sua discesa agli Inferi. In vita è stato ambasciatore di Firenze presso le altre città toscane, e capitano del popolo ad Arezzo; è morto quando Dante era bambino. Di lui il poeta scrive che fu indotto a peccare dalla «fiera moglie»: in effetti i primi commenti alla Commedia parlano di questa sposa terribile, bisbetica, ritrosa, che avrebbe indotto Iacopo all'omosessualità. Boccaccio però sostiene che all'Inferno non ci siano soltanto i sodomiti, bensì tutti coloro che amarono contro natura; ma forse è solo una nota maliziosa per stemperare un quadro drammatico. Nel sabbione continua a piovere fuoco sui corpi ustionati; e Dante, che pure vorrebbe scendere dall'argine del fiume per abbracciarli, è costretto a guardarli dall'alto in basso, per non bruciarsi anche lui.

Iacopo Rusticucci presenta i suoi compagni. L'uomo che lo precede è Guido Guerra, della famiglia dei conti Guidi: comandante dell'esercito che cacciò i ghibellini da Arezzo, esule dopo la disfatta di Montaperti, guidò i fuoriusciti fiorentini nella battaglia di Benevento che nel 1266 segnò la grande vittoria guelfa contro il re Manfredi, figlio dell'imperatore Federico II. Il dannato che invece segue le orme di Iacopo è Tegghiaio Aldobrandi, il capitano che alla vigilia di Montaperti aveva consigliato i fiorentini di non dare battaglia, e purtroppo non fu ascoltato.

«Di vostra terra sono» dice subito Dante: anche lui è fiorentino; e sempre ha ascoltato e citato i loro nomi con affettuoso rispetto. L'amor di patria li accomuna: il poeta è emozionato al pensiero di trovarsi davanti a concittadini illustri, i capi della generazione precedente alla sua; e loro sono come lui angosciati per il destino della città. Tra i sodomiti – dice Iacopo – è infatti arrivato da poco un altro fiorentino, che porta notizie angoscianti. Il suo nome è Guglielmo Borsiere, e di lui non sappiamo nulla, tranne che è protagonista di una novella del Boccaccio. In missione a Genova, Guglielmo viene ricevuto nel palazzo di Erminio dei Grimaldi, noto per la sua avarizia. Il nobile genovese è alla ricerca di un soggetto insolito da raffigurare nel salone della sua nuova villa, e chiede un suggerimento al fiorentino, che risponde: fate dipingere «la cortesia». Nel ricordare l'aneddoto nel suo commento alla Divina Commedia, Boccaccio scriverà invece che Guglielmo abbia suggerito di dipingere «la liberalità». Fatto sta che da quel giorno il ricco spilorcio si trasforma nel più ospitale e generoso degli anfitrioni.

Ora però i racconti di Guglielmo Borsiere preoccupano Iacopo Rusticucci e i suoi compagni; per questo vogliono sapere da Dante se «ne la nostra città» ancora dimorano cortesia e valore. Al che il poeta alza il volto verso l'orizzonte, quindi idealmente verso Firenze e verso i lettori, e grida: «La gente nuova e i sùbiti guadagni/ orgoglio e dismisura han generata,/ Fiorenza, in te, sì che tu già ten piagni».

Sono versi molto noti. Sulla base di queste poche parole, Dante è stato raffigurato come un conservatore, nostalgico di un passato forse mai esistito, ostile alla crescita dei commerci, delle banche, della finanza che avrebbe portato un secolo dopo al miracolo del Rinascimento. In realtà, la sua condanna delle ricchezze costruite in fretta e senza scrupoli non è politica, ma etica, forse anche estetica. I nuovi fiorentini sono ricchi e arroganti, privi del senso della misura; e i danni già si vedono. Qui Dante, per la seconda volta in poco tempo, prende le distanze sia dai Neri, i suoi fedeli nemici, sia dai Bianchi, tra cui molti sono venuti dal contado e cresciuti con la mercatura. Il disastro di Firenze – e dell'Italia – non ha un unico colpevole; sono la mancanza di responsabilità, l'incapacità di trovare un accordo o almeno un compromesso, il prevalere dell'interesse di parte su quello pubblico, il primato del «particulare» sul generale, che provocano discordie e sofferenze, e altre ne preparano.

Riconosciamolo: non siamo molto cambiati. Ancora oggi gli italiani non credono nella politica e non credono nello Stato, perché faticano a concepire che una persona possa fare qualcosa nell'interesse di qualcuno che non sia se stesso. E lo Stato a volte si comporta in modo da rafforzare i pregiudizi che abbiamo nei suoi confronti. In ogni occasione confermiamo di essere capaci di straordinari slanci individuali, e pure di grandi sacrifici; ma fatichiamo a organizzarci, a fare una cosa tutti insieme. E se il popolo dimostra tenuta e resistenza, le classi dirigenti danno pessima prova di sé; a volte anche per colpa del popolo che non ha saputo o potuto sceglierne di migliori.

La satira sui «sùbiti guadagni» c'è sempre stata, anche in epoche più vicine alla nostra. È un'ironia salutare. «Il sorpasso» di Dino Risi ha messo in scena gli eccessi del miracolo degli anni Sessanta; i parvenu degli anni Ottanta hanno ispirato trasmissioni tv e film di successo. Va detto però che nei secoli noi italiani non abbiamo maturato un rapporto sereno con il denaro. Fatichiamo a distinguere chi si è arricchito con il lavoro e il talento, e chi ha usato metodi illegali e criminali. Chi non paga le tasse non è oggetto di riprovazione sociale; è un furbo che ce l'ha fatta.

Dante in ogni caso non merita di essere liquidato come un reazionario: i suoi versi sul malcostume e la volgarità sono vivi, potrebbero essere stati scritti ieri. È un autore che ha il coraggio dell'invettiva civile, come gli riconoscono Iacopo, Guido Guerra e il Tegghiaio: «felice te» che ti prendi il lusso della libertà, gli dicono, prima di pregarlo di ridestare a Firenze la loro memoria. Poi fuggono via in «un amen», con le loro gambe snelle che sembrano ali.

Ormai il rumore della cascata del Flegetonte è così vicino che Dante e Virgilio quasi non riescono a parlarsi. L'acqua tinta di sangue provoca un rimbombo da far male alle orecchie. Il poeta lo paragona al suono di una cascata che ha visto, lungo la strada che dalla Toscana porta in Romagna: là dove il Montone, il primo fiume degli Appennini che si getta nel mare Adriatico anziché nel Po (e che prima di scendere in pianura viene chiamato Acquacheta), precipita per decine di metri in un unico balzo, presso l'abbazia di San Benedetto in Alpe. Oggi il primo fiume nato dagli Appennini a gettarsi nel mare non è più il Montone, ma il Reno, che ai tempi di Dante sfociava nel delta del Po: impaludatosi, nel Settecento fu immesso in un alveo del grande fiume che nel frattempo si era essiccato; così un ramo morto del Po è diventato il nuovo corso del Reno. Ma è più interessante far notare come il poeta descriva un luogo oggi poco conosciuto, per noi quasi remoto, distante dalle autostrade: una terra di confine, anche linguistico, tra il Nord e il Centro dell'Italia. A pochi chilometri dalla cascata descritta da Dante c'è Marradi, che fa parte della città metropolitana di Firenze, quindi della Toscana, ma di metropolitano non ha nulla, e poco anche di toscano, perché è già sul versante romagnolo dell'Appennino. Qui, nel 1885, è nato Dino Campana, oggi considerato tra i più grandi poeti italiani, ma all'epoca additato come matto.

Nel 1913 Campana era andato a Firenze, nella redazione della rivista «Lacerba», per affidare a Giovanni Papini e ad Ardengo Soffici il manoscritto delle sue poesie. Aspettò per mesi una recensione; e quando la sollecitò, Papini rispose di aver passato il libro a Soffici, che negò di averlo mai ricevuto. La prima versione delle poesie di Dino Campana, un capolavoro del Novecento, sarà ritrovata solo cinquantotto anni dopo, tra le carte di Soffici. Credendo perduta per sempre la sua opera, Campana impazzì di rabbia. Poi cercò le parole dentro la memoria, riscrisse i suoi versi, li intitolò «Canti orfici», e inviò a Papini e Soffici una lettera dai toni non meno duri di quelli con cui Dante condanna i suoi compatrioti: la cultura italiana andrebbe fondata «sul violento groviglio delle forze delle città elettriche, sul groviglio delle selvagge anime del popolo, del vero popolo, non di una massa di lecchini, finocchi, camerieri, cantastorie, saltimbanchi, giornalisti e filosofi come siete a Firenze».

Neppure l'amore per Sibilla Aleramo darà conforto a Dino Campana: lei resta «incantata e abbagliata» dalle poesie di lui, ma la storia finisce male, Sibilla si rende irreperibile, Dino le chiede disperatamente notizie: «Togliermi anche l'illusione che una volta tu mi abbia amato è l'ultimo male che mi puoi fare». È il 1917. L'anno dopo Campana entra nel manicomio di Scandicci, a un passo da Firenze. La sua fine è orribile: tenta di fuggire scavalcando il filo spinato, si ferisce allo scroto, muore di setticemia. Viene sepolto sotto il campanile di una chiesa, che sarà distrutto dai tedeschi in ritirata nel 1944: un anno terribile per Marradi, rasa al suolo dai bombardamenti americani, e percorsa dalle SS che per rappresaglia fucilano quarantaquattro innocenti. Dopo la guerra, le ossa di Dino Campana saranno pietosamente recuperate e sepolte a Badia a Settimo, nella chiesa di San Salvatore. Al funerale postumo parteciperanno grandi poeti, critici, scrittori: Eugenio Montale, Alfonso Gatto, Carlo Bo, Vasco Pratolini. Come per chiedere scusa a Dino Campana per la disattenzione della cultura ufficiale verso il suo dolore e la sua poesia.

Arrivati alla cascata, Dante fa una cosa strana e inaspettata: esortato da Virgilio, porge una corda che teneva come cintura al maestro, che la getta giù nel burrone, quasi per invitare qualcuno a salire.

Sempre l'uomo deve evitare – ammonisce Dante – di riferire quei fatti che, pur veri, possono apparire falsi, tanto sono incredibili; perché così si viene accusati di essere bugiardi, anche se si è sinceri. Eppure il poeta non può tacere – e lo giura su «questa comedìa», sulla sua stessa opera – di aver visto spuntare dal basso una figura che avrebbe impressionato il cuore più intrepido. Nuotava nell'aria come il marinaio che torna verso la superficie dell'acqua, allungando le braccia e ritraendo le gambe per darsi la spinta, dopo aver liberato l'àncora rimasta impigliata in uno scoglio. E qui finisce il sedicesimo canto.

Dante usa cioè la tecnica cui oggi ricorrono le serie televisive per ipnotizzare lo spettatore, e indurlo a vedere l'episodio successivo: sviluppa una serie di storie, e le lascia tutte interrotte, così il lettore non resiste e va avanti per sapere come va a finire; e ovviamente le storie non finiscono mai.

Come faranno Dante e Virgilio a scendere la cascata? Qual è la creatura misteriosa che sale dal basso nuotando nell'aria? E, soprattutto, che cos'è questa lunga corda che Dante si è portato appresso?

Le prime domande si chiariscono subito. Virgilio ha richiamato Gerione, il drago simbolo della frode: faccia d'uomo, corpo di serpente, coda di scorpione. E in groppa al mostro i due poeti scenderanno nella parte più bassa dell'Inferno, al cui fondo sta confitto Lucifero.

La terza domanda fa discutere i commentatori, da Boccaccio in poi. Neppure il figlio di Dante, Pietro, cui si devono le prime note alla Divina Commedia, sa spiegare con esattezza cosa simboleggi la corda. Per ingarbugliare ulteriormente l'enigma, Dante scrive che aveva pensato di usarla per catturare la lonza dal pelo maculato, quella del primo canto, che raffigura la lussuria. All'evidenza, c'è un rapporto tra la lussuria e la frode: già Aristotele nell'Etica sostiene che seduzione e inganno sono legati. Quindi la stessa corda è buona contro entrambi i vizi. E ricorda sia la cintura che spesso nella Bibbia cinge i lombi delle persone caste – come san Giovanni Battista –, sia il cordone dei francescani, simbolo del dominio dell'uomo su se stesso; lo stesso Dante era forse terziario francescano.

«Ecco la fiera con la coda aguzza» grida Virgilio come per evocare una bestia apocalittica, «ecco colei che tutto 'l mondo appuzza!» E in effetti Gerione, «sozza imagine di froda», si avvicina, celando dietro il volto da uomo giusto un busto da serpente – la classica figura di Satana tentatore –, con due branche pelose sotto le ascelle e la pelle dipinta come un tappeto orientale; da ultima viene la coda guizzante, con la velenosa punta biforcuta. È la perfetta immagine della frode: all'inizio ispira fiducia; poi tesse i suoi inganni; infine vibra il colpo fatale.

Gerione ricorda il drago dell'Apocalisse. Ma non è davvero vivo, è piuttosto un'allegoria, una creatura simbolica e misteriosa, come quelle dei bestiari scolpiti sui portali delle chiese medievali: dalla Sacra di San Michele in Val Susa, che ispirò la chiesa del Nome della rosa di Umberto Eco, alla basilica di San Marco a Venezia; dove i mostri stanno accanto alle figure dei Mesi che eternano il lavoro umano, con gennaio che raccoglie la legna, febbraio che si scalda al fuoco, giugno che miete, settembre che vendemmia, dicembre che sgozza il maiale.

Il drago ora è appollaiato sull'orlo di pietra del sabbione, con la coda penzoloni nel vuoto, come i burchielli del Brenta che stanno metà in terra e metà in acqua; o come il castoro, che nei fiumi dei «ghiottoni tedeschi» – un popolo che Dante non ama – si siede con la coda nell'acqua, per attirare i pesci e divorarli.

Avvicinandosi all'Inferno profondo, il linguaggio della Divina Commedia cambia. Lo stile si fa più realistico, grottesco, talora comico. I mostri, i diavoli, i dannati stessi hanno un aspetto animalesco.

Prima di cavalcare Gerione e scendere nell'ottavo cerchio, il poeta incontra gli usurai, che tentano di ripararsi dal fuoco accovacciandosi e agitando le mani: come cani che con le zampe e il «ceffo», il muso, cercano di scacciare pulci, mosche, tafani.

Dante li scruta, e non ne riconosce nessuno; nota però che tutti portano al collo e rimirano con cupidigia una borsa di denaro, contraddistinta dal disegno di un animale. Ecco un leone azzurro in campo giallo, simbolo dei Gianfigliazzi, usurai fiorentini alleati dei Neri. Segue un'oca «bianca più che burro» su un campo rosso sangue, stemma degli Obriachi, pure loro di Firenze, ma ghibellini. Siamo nell'unico luogo dell'Inferno, di solito buio o al più illividito dal fuoco, in cui si vedono colori luminosi. Ecco ad esempio un usuraio con una grossa scrofa azzurra disegnata su una borsa bianca, che quasi aggredisce Dante: «Che fai tu in questa fossa? Or te ne va». Poi dice di essere padovano, e annuncia che alla sua sinistra arriverà presto un suo concittadino: Vitaliano del Dente, che è stato podestà nel 1307. La delazione è caratteristica degli usurai, pronti a denunciare i colleghi.

La borsa con la scrofa è il simbolo della famiglia Scrovegni. Dante colloca all'Inferno Reginaldo, padre di Enrico Scrovegni, che a espiazione dei peccati paterni fece costruire a Padova la cappella che porta il suo nome. Qui Giotto compì forse il suo capolavoro, dipingendo il cielo stellato più azzurro di tutti i cieli stellati, e immagini dell'Inferno ancora più terrifiche di quelle della Divina Commedia.

Siamo fra il 1303 e il 1305. Dante sta ancora pensando la sua opera, tra poco comincerà a scriverla. Se fosse vera la tradizione secondo cui il poeta avrebbe visitato il cantiere degli Scrovegni, allora sarebbe stato Giotto a ispirarlo, non viceversa (come si tende a pensare). Il grande pittore fiorentino dipinge un'immagine di Cristo da cui sgorgano i quattro fiumi infernali, che precipitano i dannati nell'abisso. Il primo fiume travolge proprio gli usurai, che hanno anche qui un sacchetto di denaro legato al collo. I peccatori sono spogliati, violati, torturati, appesi per i capelli o per i genitali. Impiccato e sventrato è Giuda, il traditore di Gesù. In basso Lucifero divora i dannati con due bocche, mentre un serpente gli esce dalle orecchie. A destra di Gesù, nella sfera dei beati, si vedono san Francesco e lo stesso Giotto, con un berretto; dietro di lui, qualche critico ha riconosciuto il profilo di Dante, con un serto d'alloro dorato. In un angolo, Enrico Scrovegni offre un modello della chiesa alla Madonna: ogni 25 marzo, anniversario della consacrazione della cappella, un raggio di luce passa tra le mani protese del committente e della Vergine. Di sicuro Giotto ritrarrà Dante (già morto) nel suo ultimo affresco fiorentino, al palazzo del Bargello: con una toga rossa.

Reginaldo Scrovegni però non avrebbe mai visto tutto questo. Prigioniero della sua metamorfosi bestiale, si congeda da Dante storcendo la bocca e facendo la linguaccia, «come bue che 'l naso lecchi». E il poeta si allontana: per gli usurai, più che pietà, prova disprezzo. Si noti che tutti sono cristiani, nonostante la cultura del tempo associasse l'usura agli ebrei.

Virgilio intanto è già salito sul drago e invita Dante a dimostrarsi «forte e ardito» e a montare «dinanzi», «ch'i' voglio esser mezzo,/ sì che la coda non possa far male». L'invenzione è meravigliosa. I due poeti salgono sul mostro con l'aria di due amici che vanno a fare una gita. Dante descrive un'esperienza che non può aver provato, il volo, con dettagli fantastici: il vento che lo investe, l'orrore che lo prende guardando in basso, quasi fosse su un deltaplano, la paura che lo induce a rannicchiarsi come su un ottovolante. Montagne russe al buio, perché il poeta non vede niente, tranne la fiera cui è aggrappato, che tende la coda, raccoglie a sé l'aria con le branche, e si spinge nel vuoto: come fa la barca quando indietreggia per uscire dal porto, poi si gira e affronta il mare aperto.

Dante trema di paura, quasi fosse scosso da brividi di febbre; vorrebbe dire a Virgilio di abbracciarlo, ma non gli esce la voce; però lui capisce, lo avvince con le braccia, lo sostiene, e raccomanda al drago di scendere lentamente, a larghi giri. Qui Dante immagina la paura che deve aver provato Fetonte, quando chiese al padre Elio, il Sole, di prestargli il suo carro; ma perse il controllo e a volte si avvicinava alla Terra, bruciando la pelle degli africani, a volte se ne allontanava, lasciando regioni ghiacciate senza luce né calore; fino a quando Zeus non lo fulminò con la folgore, e lui cadde nelle acque del Po, sulle cui rive le sue sorelle furono trasformate in pioppi per vegliarne il sonno eterno; la sua scia risplende ancora oggi nel cielo: è la Via Lattea. Lo stesso terrore deve aver assalito Icaro quando, volando troppo vicino al sole, sentì sciogliere la cera con cui il padre Dedalo gli aveva costruito due ali, con le penne degli uccelli, per evadere dal labirinto di Creta.

A peggiorare la situazione, Dante avverte «il gorgo far sotto noi un orribile scroscio»: è la cascata del Flegetonte. Man mano che scende, intravede fuochi e ascolta lamenti: sono i dannati dell'ottavo cerchio; segno che Gerione sta per posarsi su quella terra di dolore.

Come un falcone stanco, che per la delusione del falconiere torna lentamente a terra senza una preda, e tutto crucciato resta lontano dal padrone, così il drago tocca il fondo e fa scendere Dante e Virgilio; per poi fuggire via con la velocità di una freccia scoccata dall'arco, come il frodatore che si dilegua senza lasciare al frodato il tempo della vendetta.

nata per dividere la folla in due sensi di marcia. Non sappiamo se Dante abbia visto la scena con i suoi occhi; così sembrerebbe, considerato il realismo con cui la descrive. Si calcola che per il Giubileo voluto da Bonifacio VIII fossero arrivati a Roma duecentomila pellegrini, che per passare il Tevere avevano un unico ponte. Così fu usato per la prima volta quello che oggi possiamo considerare il vero simbolo della capitale: non la lupa, ma la transenna.

Nelle Malebolge appaiono finalmente i diavoli come siamo abituati a pensarli: «demon cornuti» che perseguitano i peccatori, costringendoli a muoversi svelti per evitare la sferza. Gli occhi di Dante si «scontrano» con quelli di un dannato, che abbassa il viso. Di solito le anime desiderano essere riconosciute, e chiedono al poeta di ricordarle nel «dolce mondo»; ma queste si sottraggono allo sguardo, tanto è il disonore del loro crimine e della loro condizione. Dante però ha capito chi ha di fronte: Venedico dei Caccianemici, guelfo bolognese che fu podestà di Imola, Pistoia, Milano. Uomo degli Estensi – che Dante disprezza –, arrivò a offrire la sorella Ghisolabella a Obizzo II d'Este, promettendole in cambio potere e denaro, ma senza mantenere. E ora non può nascondere il suo peccato: «I' fui colui che la Ghisolabella/ condussi a far la voglia del marchese…».

All'Inferno tra i ruffiani – assicura Venedico – ci sono più bolognesi di quelli che vivono sulla Terra, sottoposti a «pungenti salse», pene aspre (ma Salse era anche il nome della valle fuori dalle mura dove si gettavano i corpi dei giustiziati); e se Dante ne dubita, ricordi «il nostro avaro seno», l'avidità di denaro che nel Medioevo veniva attribuita ai bolognesi. E così il poeta, cacciato da Firenze, si gioca il favore di un'altra grande città italiana. Più avanti non esiterà a condannare lucchesi, pisani, pistoiesi, genovesi...

Il racconto è interrotto dall'arrivo di un diavolo, che grida: «Via, ruffian! qui non son femmine da conio», non ci sono donne da far prostituire per denaro. Perché Dante punisce anche gli sfruttatori, e tutti coloro che usano la bellezza femminile per il tornaconto proprio o altrui (oggi ci sarebbero anche quelli che si arricchiscono con la pornografia). Se siamo fatti a immagine di Dio, a maggior ragione il volto di una donna è il volto di Dio; sporcarlo è azione turpe. Basta farlo una volta per pagarne il fio, e cancellare il ricordo di grandi imprese.

Non a caso, Virgilio indica un dannato nella schiera dei seduttori: «Guarda quel grande che vene,/ e per dolor non par lagrime spanda:/ quanto aspetto reale ancor ritene!». È Giasone, che con coraggio e astuzia conquistò il vello d'oro, e poi si rifugiò sull'isola di Lemno. Qui lui e i suoi compagni, gli Argonauti, trovarono soltanto donne, e nessun uomo. Era accaduta una tragedia: sdegnate con Afrodite, che aveva tradito il marito Efesto con Ares, il dio della guerra, le abitanti di Lemno avevano smesso di onorare la dea dell'amore. Per punizione, Afrodite le rese poco desiderabili: il loro corpo emanava un cattivo odore, e i loro mariti le trascuravano, preferendo le schiave. Allora «l'ardite femmine spietate», come le definisce Dante, uccisero tutti i maschi dell'isola. Ma la principessa Isifile salvò la vita al padre, il re Toante, e lo nascose, sottraendolo alla furia delle altre.

Quando arrivò Giasone, con le sue «parole ornate» ingannò «la giovinetta», e la abbandonò, «gravida, soletta;/ tal colpa a tal martiro lui condanna;/ e anche di

Medea si fa vendetta». Giasone è all'Inferno per aver ingannato una ragazza senza colpa; come aveva fatto prima con Medea, che Dante nomina appena. La sua vicenda infatti è controversa.

Nella tragedia di Euripide, Medea – figlia del re della remota Colchide, dov'è custodito il vello d'oro – è una maga spietata, una barbara, un personaggio notturno e inquietante. Innamorata di Giasone, non si limita ad aiutarlo a commettere il furto; arriva a uccidere il fratello Apsirto «accanto al focolare domestico». Dopo altre avventure e altri delitti, Giasone trova rifugio a Corinto. Ma quando il re della città gli offre in sposa la figlia Glauce, l'eroe non esita a ripudiare Medea, che pure gli ha dato due figli. Lei finge di rassegnarsi, e regala a Glauce una veste e una corona, intrise di veleno; la principessa le indossa e muore tra i tormenti. Per completare la vendetta, Medea uccide i suoi stessi figli.

Ma secondo gli studiosi del nostro tempo, la tragedia sarebbe stata commissionata a Euripide dagli abitanti di Corinto, preoccupati del proprio buon nome e ansiosi di addossare ogni colpa alla donna barbara. Nella versione più antica del mito, Medea è una fata: la radice indoeuropea del suo nome, *med*, significa «colei che dà buoni consigli», e infatti è la stessa della parola medico. Ovidio, che Dante ha letto e ama, oscilla tra le due idee: rappresenta Medea ora come un'incantatrice, ora come una vittima, una donna ingannata e tradita. Dante non scioglie il dilemma; ma nelle Malebolge colloca Giasone, non lei.

Isifile, invece, sarà citata anche nel Purgatorio. Dal suo amore con Giasone sono nati due gemelli. Quando le donne di Lemno scoprono che la principessa ha risparmiato il padre, tentano di assassinarla; lei riesce a fuggire, ma finisce nelle mani dei pirati, che la vendono come schiava a Licurgo, re di Nemea. Licurgo le affida suo figlio, ma Isifile lo abbandona un attimo per indicare una fonte d'acqua a Capaneo e agli altri guerrieri diretti contro Tebe; al ritorno trova il piccolo ucciso da un serpente. Condannata a morte, si salva ancora una volta: i suoi gemelli si gettano tra i soldati del re, e le fanno scudo con il proprio corpo.

Virgilio e Dante passano ora su un ponte roccioso che scavalca la seconda bolgia. Sotto di loro, i dannati gemono, grugniscono come maiali, si percuotono con le mani. Le pareti della fossa sono incrostate di muffa, prodotta dalle esalazioni che salgono dal fondo. La scena offende sia la vista sia l'olfatto; perché è sterco quello in cui giacciono le anime. Dante precisa che non sono escrementi animali, ma umani.

Degradati e umiliati in quel modo sono coloro che ingannarono il prossimo con l'adulazione. Il poeta li disprezza al punto da liquidarli in pochi versi. Riconosce un solo dannato, Alessio Interminelli da Lucca, che «battendosi la zucca» dice: «Qua giù m'hanno sommerso le lusinghe/ ond'io non ebbi mai la lingua stucca», sazia. Di nuovo un linguaggio aspro, quasi volgare, «porco» come lo definirà Machiavelli; che non perdonerà a Dante di aver scritto la parola merda. In realtà, queste espressioni dure e basse costano al poeta un grande sforzo stilistico, forse anche morale: l'adulazione non è la colpa più grave, ma è la più distante dalla sua tempra sdegnosa e battagliera. Per questo Dante è così sbrigativo. Come fa spesso, però, accanto a un personaggio storico come Alessio Interminelli colloca un personaggio letterario: Taide, «la puttana», protagonista di una commedia di Terenzio e di un racconto popolare, all'epoca molto letto nelle scuole, per mettere in guardia i giovani dai pericoli delle lusinghe insincere.

Quell'immagine disgustosa, che «si graffia con l'unghie merdose», colpì Jorge Luis Borges, il grande scrittore argentino da sempre ossessionato da Dante: raccontava di aver imparato l'italiano leggendo la Divina Commedia con il testo inglese a fronte, in tram, andando alla biblioteca nazionale di Buenos Aires.

In uno dei suoi racconti più inquietanti, «Lo Zahir», Borges narra di essere venuto in possesso di una moneta da venti centesimi, di cui non riesce a liberarsi, e scrive: «Pensai che non esiste moneta che non sia simbolo delle monete che senza fine risplendono nella storia e nella favola». Borges cita l'obolo di Caronte, i trenta denari di Giuda – due personaggi della Divina Commedia –, e altre storie che Dante non può aver conosciuto. L'oncia d'oro che il capitano Achab fa inchiodare all'albero della nave, come premio per chi avvisterà Moby Dick, la balena bianca di Melville. Le «lucenti monete del mago delle Mille e una notte, che poi si rivelarono cerchi di carta». La moneta con l'effigie di Luigi XVI – data come mancia al capo della stazione di posta dove il re di Francia ha cambiato i cavalli –, che lo fa riconoscere mentre, travestito da valletto, tenta di sfuggire ai rivoluzionari che lo cattureranno e gli taglieranno la testa. Infine, in omaggio a Dante, Borges ricorda proprio le «dracme della cortigiana Taide».

pò il fanciullo», come scrisse un cronista del tempo. Questo è l'unico passo autobiografico della Commedia: Dante non parla mai di sé, della sua vita reale, in termini così diretti; se lo fa, è per controbattere a un'accusa, per chiarire che lui voleva salvare una vita, non compiere un atto sacrilego, di cui forse l'avevano accusato i suoi nemici. Di questo episodio non sappiamo nient'altro; ma intuiamo che Dante si sia sentito calunniato, e ne abbia sofferto.

I simoniaci scalciano per il dolore, tanto che sembrano piangere con le ginocchia. Il poeta chiede chi sia quello che si agita più di tutti; per assecondare la sua curiosità, Virgilio lo prende paternamente in braccio, e lo aiuta a scendere nella bolgia. Dante si china verso il peccatore per parlargli, come un frate che confessa il condannato a morte sepolto vivo. Ed è un altro contrappasso, perché Dante è un laico, per giunta esule, mentre il condannato è un Papa: Giovanni Gaetano Orsini, che regnò con il nome di Niccolò III. Conficcato nella roccia come un palo, non può vedere il poeta. Così lo confonde con il dannato che sta aspettando, un altro Papa: «Se' tu già costì ritto, Bonifazio?».

Si capisce bene che a Dante di Niccolò III non importa molto: «figliuol de l'orsa», rampollo della famiglia Orsini, fece di tutto per favorire i familiari, gli «orsatti»; che nell'italiano antico sta per orsacchiotti, come il cerbiatto è il cucciolo del cervo. Niccolò, morto nel 1280, è quindi all'Inferno come Papa simoniaco e nepotista; l'orso non è un simbolo scelto a caso, perché nel Medioevo era considerato animale ingordo e molto legato ai suoi piccoli. Ma Dante già ci dice che sta per arrivare a prenderne il posto nella bolgia Bonifacio VIII, il Pontefice che odia di più, colui che ingannò «la bella donna», la Chiesa, sposa di Cristo, per «farne strazio».

Bonifacio non è soltanto l'uomo che causa la rovina di Dante, trattenendolo a Roma mentre tesse la sua trama per cacciare i Bianchi da Firenze e portare i Neri al potere. Bonifacio contraddice tutto quello che Dante pensa, tutto quello in cui crede. Può sembrare strano alla nostra sensibilità che uno scrittore di grande fede possa maltrattare un Papa. Per noi oggi il Papa è un'autorità morale, spirituale; e così infatti la concepisce Dante. Bonifacio invece è un sovrano assoluto. Sostiene la teocrazia. Induce il santo eremita Celestino V a dimettersi, e lo imprigiona in un castello di sua proprietà sino alla morte. Manovra per restituire il regno di Sicilia al suo protettore Carlo II d'Angiò (peraltro senza riuscirci). Muove guerra alle famiglie rivali, costringe i cardinali Giacomo e Pietro Colonna a presentarsi davanti a lui in ginocchio, a piedi nudi e con una corda al collo; si fa consegnare con l'inganno la loro roccaforte, la città di Palestrina, la rade al suolo e fa spargere sale sulle rovine, come avevano fatto i Romani a Cartagine; cattura Jacopone da Todi, il poeta che a Palestrina si è rifugiato, e lo chiude in carcere per cinque anni. Perseguita i francescani, perché sostengono -- come Dante – che la Chiesa debba essere povera, e non brigare per il potere temporale. Guida una crociata contro Lucera, l'ultima roccaforte islamica in Italia, e fa massacrare la popolazione: i superstiti sono venduti come schiavi. Si scontra con Filippo il Bello, re di Francia, lo scomunica e scrive una bolla per rivendicare a sé tutti i poteri, entrambe le spade, «quella spirituale e quella temporale».

Il progetto di Bonifacio fallisce. I soldati del re di

Francia e dei Colonna lo assediano nella città della sua famiglia, Anagni, dove secondo la tradizione il Papa viene schiaffeggiato. Il re di Francia lo mette sotto processo per simonia, eresia, idolatria, sodomia, magia, stregoneria, demonolatria, e pure per l'omicidio di Celestino V. È un Pontefice in disgrazia, quello che muore nel 1303. E nella bolgia dei simoniaci sono già pronti due posti: uno per lui, e l'altro per chi verrà dopo di lui.

Il successore diretto di Bonifacio, Benedetto XI, dura soltanto otto mesi: è l'unico Papa del suo tempo che Dante non mette all'Inferno. Ma ecco arrivare da Ponente, cioè dalla Francia, «un pastor sanza legge», «di più laida opra», ancora più turpe se possibile di Bonifacio. È Bertrand de Got, che regnerà come Clemente V dal 1305 al 1314.

Dante lo paragona a Giasone: non l'eroe greco appena incontrato nell'Inferno, ma il personaggio della Bibbia, l'ebreo che comprò dal re di Siria Antioco IV l'incarico che spettava al fratello, il sommo sacerdote Onia, e introdusse a Gerusalemme credenze pagane. Allo stesso modo, il cardinale Bertrand de Got si accorda con il re di Francia, Filippo il Bello: se lo sosterrà in conclave, avrà il diritto di trattenere per cinque anni le tasse dovute alla Chiesa. Dante insomma accusa il Papa di aver comprato l'elezione. Sarà Clemente V a portare la Santa Sede ad Avignone, da dove tornerà a Roma solo grazie a una santa, Caterina da Siena.

Anche il Papa francese ha un ruolo nefasto nella vita del poeta, che a causa sua vede cadere l'ultima speranza di rientrare a Firenze. Il nuovo imperatore, Enrico (o Arrigo) VII, è deciso a rivendicare i suoi diritti sulla penisola. Il giorno dell'Epifania del 1311, a Milano, riceve la corona ferrea, simbolo dei re d'Italia. In poche settimane gli arrivano centinaia di lettere: sono le suppliche di ghibellini cacciati dalle loro città; tra queste ce n'è una di Dante, che scrive pure ai fiorentini, già tormentati dalle sue invettive, per ammonirli a non opporre resistenza all'imperatore. Offesi, i concittadini lo escludono dall'amnistia che promulgano come segnale di apertura a Enrico. A Dante non importa: stavolta spera di tornare a Firenze con le armi.

Per il Papa, l'imperatore è un nemico. Finge di sostenerlo, ma quando arriva a Roma per essere consacrato rifiuta di incontrarlo, lo costringe all'umiliazione di essere incoronato a San Giovanni in Laterano da tre cardinali ghibellini, raccolti strada facendo nella sua discesa in Italia. Poi Enrico assedia Firenze per sei settimane, ma non riesce a espugnarla. È il 1313. Si ammala di malaria e il 24 agosto muore, alle tre del pomeriggio, nella chiesa dei Santi Pietro e Paolo, a Buonconvento, presso Siena. Gira voce che sia stato un frate ad avvelenarlo.

L'imperatore non ha ancora quarant'anni. Fa troppo caldo per trasportarlo in Germania. Il corpo viene bollito, per separare le ossa dalle carni, che restano a Buonconvento. Le ossa vengono tumulate nella cattedrale di Pisa, roccaforte imperiale in Italia. Studi recenti hanno rinvenuto nei resti di Enrico tracce di arsenico.

Dante è disperato: svanisce l'ultima speranza di tornare dall'esilio. Il 20 aprile 1314 morirà anche il Papa, destinato dal poeta all'Inferno.

Per il momento, però, nel foro delle Malebolge c'è ancora Niccolò III; e il poeta si rivolge a lui con parole durissime. Nostro Signore non volle soldi da san Pietro, per affidargli le chiavi simbolo della Chiesa; gli domandò soltanto di seguirlo. E Pietro non tolse oro e argento a Mattia, quando scelse l'apostolo che doveva sostituire Giuda Iscariota, traditore e suicida. Mentre Dante parla, il Papa scalcia più forte, per rabbia o per pentimento. Stia pure lì, a testa in giù, poiché è «ben punito». E se non fosse per il rispetto dovuto alle «somme chiavi», cioè al Pontificato, Dante direbbe «parole ancor più gravi»: perché l'avidità della Chiesa rovina l'uomo, schiacciando i buoni ed esaltando i malvagi. Già nell'Apocalisse la regina del mondo, Roma, viene vista «puttaneggiar coi regi», asservirsi ai re, come i Papi faranno con i sovrani di Francia. E Costantino commise un grave errore, quando donò ai Pontefici un territorio e un potere temporale.

Qui Dante si riferisce alla cosiddetta Donazione di Costantino. Papa Silvestro lo guarì dalla lebbra, e l'imperatore romano – secondo la tradizione – con un documento ufficiale gli avrebbe affidato la città di Roma. Oggi noi sappiamo che quella carta è un falso, fabbricato nella cancelleria pontificia quattro secoli dopo la morte di Costantino. È stato l'umanista Lorenzo Valla, con un'implacabile analisi storica e filologica, a dimostrarlo: il latino in cui è scritta la Donazione non è la lingua dell'età imperiale; e il falsario è incorso in errori evidenti. Ad esempio cita «la sede patriarcale di Costantinopoli», quando Costantinopoli non aveva nessun patriarca, non era una città cristiana, e non si chiamava ancora così. Inoltre il diadema donato da Costantino al Papa viene descritto come aureo e tempestato di pietre preziose; in realtà era di stoffa.

Dante non può sapere tutto questo. Ma già ritiene la Donazione illegittima: l'imperatore non aveva il diritto di privarsi dell'autorità ricevuta da Dio. E il Papa era tenuto a non possedere beni terreni, come dice Gesù nel Vangelo secondo Matteo: «Non procuratevi oro né argento né denaro nelle vostre cinture, né sacca da viaggio, né due tuniche, né sandali, né bastone...».

I versi con cui Dante, basandosi sulle parole di Cristo, condanna i Papi del suo tempo restano una prova di forza morale e di indipendenza intellettuale. Il suo amore per Dio è pari all'indignazione che prova davanti alla sete di potere e denaro degli uomini che dovrebbero servirlo.

Per noi, i Pontefici che Dante manda all'Inferno sono puri nomi. Dopo di loro ne sono venuti molti altri, che non erano leader spirituali ma sovrani assoluti. Vivevano in una reggia, il Quirinale. Misero i signori italiani gli uni contro gli altri, pur di evitare che qualcuno prevalesse e unificasse il Paese. Per lo stesso motivo chiamarono nella penisola eserciti che la devastarono. Ovviamente i Papi non hanno avuto soltanto demeriti: se l'Italia ha un patrimonio artistico più grande di tutte le altre nazioni messe insieme – ed è proprio Dante a inventare l'espressione «bel Paese» –, il merito è anche dei Pontefici. Ma l'unità nazionale si dovette fare contro il Papa. Pio IX mandò i patrioti risorgimentali sul patibolo, e ordinò alle sue truppe di cannoneggiare i bersaglieri che entravano in Roma, per poi chiudersi sdegnosamente in Vaticano.

Eppure la fine del potere temporale non ha affatto avvilito la dignità del Papa. È accaduto il contrario. I Pontefici del nostro tempo hanno rappresentato un punto di riferimento universale. Giovanni XXIII ha acceso la grande speranza del Concilio. Paolo VI è stato il primo Papa del mondo globale, il primo a tornare in Terrasanta e ad andare in America. Giovanni Paolo II sarà ricordato come il vincitore della lotta al comunismo. La finezza e la dolcezza intellettuale di Benedetto XVI resteranno con noi. Francesco – il primo Papa a portare il nome del santo di Assisi, il primo Papa americano – è la personalità mondiale cui guardano i poveri, gli sfruttati, gli ambientalisti, i volontari, e tutti coloro che non si rassegnano a un mondo disuguale e ingiusto.

Oggi il Papa non porta spade ed è il leader spirituale più influente del pianeta. È diventato quel che Dante sognava che fosse.

Quindici

Il più bel lago del mondo

Dove Tiresia cambia sesso, Ciro Menotti sa morire,
e Dante ci fa visitare il Garda e l'Arsenale di Venezia

Lasciato il Papa simoniaco alla sua giusta punizione,
Virgilio prende di nuovo in braccio Dante e lo adagia
su un ponte di roccia. Da qui si domina la quarta bolgia: una valle tonda, percorsa da una processione si-
lenziosa e piangente. I dannati hanno la testa voltata
all'indietro: sono gli indovini, che credevano di vedere il futuro, e ora sono costretti a guardare dietro di sé.

Il poeta si rivolge al lettore, cioè a noi, e ci dice: pen-
sate come sarei potuto restare a ciglio asciutto, di fronte al triste spettacolo della «nostra imagine», dell'immagine umana, «sì torta, che 'l pianto de li occhi/ le
natiche bagnava». L'aspetto dell'uomo, creato a somi-
glianza di Dio, è stravolto al punto che le lacrime scendono lungo la schiena: i peccatori sono privati anche
della dignità del dolore. Dante stesso scoppia a piangere, appoggiato a una roccia. Virgilio lo scuote: «Qui
vive la pietà quand' è ben morta», un verso poi sem-
plificato nel popolare «pietà l'è morta»; non meritano
compassione gli scellerati che credono di piegare la
volontà divina con le loro arti, o pretendono di sapere ciò che soltanto Dio sa.

Eppure gli indovini del mito, qui puniti, mantengo-
no ancora una parte del loro fascino letterario. Il pri-

mo è Anfiarao, uno dei sette re che assediarono Tebe. Avendo previsto la propria morte, tentò di sottrarsi alla spedizione; ma fu convinto dalla moglie, corrotta da Polinice con il dono della collana di Armonia, che donava la bellezza eterna a chi la portasse. Davanti ai nemici, Anfiarao fu inghiottito da una voragine apertasi sotto i suoi piedi, e precipitò nell'Inferno fin davanti a Minosse; mentre i Tebani lo schernivano gridando «dove cadi, perché lasci la guerra?». La storia di Anfiarao conferma che neppure gli indovini riescono a evitare la loro sorte; il dono di antevedere il futuro li espone alle beffe degli altri mortali; e la più grande fortuna dell'uomo è non conoscere il proprio destino.

Il secondo della processione è Tiresia. Anche Omero lo colloca nell'Ade: Ulisse gli chiede notizie del proprio viaggio, perché neppure nell'aldilà Tiresia ha perso il dono della profezia; «a lui solo Persefone diede, anche da morto, la facoltà d'esser savio; gli altri sono ombre vaganti». Dante, come tutti gli italiani della sua epoca, non conosceva l'Odissea. La sua versione della storia di Tiresia – che evoca in pochi, prodigiosi versi – è tratta dalle Metamorfosi di Ovidio.

Un giorno Tiresia, passeggiando sul monte Citerone, aveva visto due serpenti accoppiarsi. Infastidito, aveva ucciso la femmina, e per punizione era stato trasformato per sette anni in una donna, provando tutti i piaceri che una donna può provare; fino a quando non si imbatté nella stessa scena, uccise il serpente maschio, e tornò uomo. Un giorno, Zeus ed Era litigarono su una questione di cui moltissime coppie hanno discusso: chi trae più piacere dall'atto dell'amore? L'uomo o la donna? Il re degli dei sosteneva che fosse la donna; la regina, l'uomo. C'era un solo modo per risolvere il dilemma: chiedere all'unica persona che fosse stata nella vita sia maschio sia femmina: Tiresia.

Interpellato da Zeus, rispose che l'estasi dei sensi si divide in dieci parti: all'uomo ne spetta una, alla donna nove; quindi la donna gode molto di più. Per la rabbia di aver perso la scommessa, Era accecò Tiresia; per ricompensarlo, Zeus gli diede il dono della profezia. Spesso nella cultura greca l'indovino è cieco: coglie con gli occhi della mente cose che agli altri uomini sfuggono, come accade anche ai poeti; Omero significa appunto «colui che non vede».

Se Dante mette Tiresia all'Inferno, il pittore Mark Rothko l'ha trasformato sulla sua tela in un essere magico e misterioso, affascinante e maledetto, che possiede entrambi gli organi sessuali, partecipa di entrambe le nature: il primo transgender della storia. L'imperatore Nerone andrà oltre: farà evirare il giovane liberto Sporo – scelto perché i suoi tratti gli ricordavano quelli della moglie Poppea, che secondo la tradizione aveva ucciso a calci – e lo sposerà. Sporo assumerà il titolo di Augusta (oggi diremmo first lady), accompagnerà Nerone nelle visite all'estero e gli rimarrà accanto sino alla fine: sarà lui a reggere la spada su cui l'imperatore si getterà per uccidersi. Prima però Nerone si era sposato, ma stavolta assumendo il ruolo della donna, con un uomo, Pitagora. Aveva così sposato due uomini; ma di uno era il marito, dell'altro era la moglie.

Il terzo indovino della processione infernale è Arunte, l'aruspice etrusco che predisse la vittoria di Cesare su Pompeo. Dante ci dice che visse in Lunigiana, l'aspra regione tra Toscana, Liguria ed Emilia, dove lui stesso trascorse parte del suo esilio; e immagina che Arunte avesse la sua spelonca tra i marmi delle Alpi

Apuane, da dove poteva scrutare i segni del cielo e del mare. Così la Divina Commedia ci lascia intravedere i paesaggi meravigliosi che dalle cave si aprono sulla Versilia. Da queste montagne bianche trarrà i suoi marmi Michelangelo. Generazioni di cavatori custodiranno ideali anarchici e seppelliranno i compagni caduti sul lavoro: ancora poco tempo fa, dopo ogni incidente la barella con il corpo insanguinato dell'operaio morto nella cava veniva portata in paese, e tutti i familiari e i conoscenti accorrevano a dargli congedo, a piangere il loro dolore, a urlare la loro rabbia. Ora i marmi sono tagliati sul posto dalle macchine e vengono esportati nei Paesi arabi, dove ornano le moschee degli sceicchi.

Ma già Dante, dopo aver evocato le Apuane, si inoltra in una descrizione minuziosa e bellissima del lago di Garda.

A ispirarlo è l'apparizione – le trecce sciolte a coprire il seno – della figlia di Tiresia, la maga Manto, da cui prende il nome Mantova. A raccontare la storia è Virgilio, che vuole chiarire come fu fondata la sua città. Ma prima Dante ce la fa vedere come su una carta geografica, ripercorrendo il corso del Mincio, il fiume che esce dal lago di Garda e vicino a Mantova sfocia nel Po.

È la più lunga descrizione geografica della Divina Commedia. Quasi una dichiarazione d'amore al Nord Italia.

«Suso in Italia bella giace un laco.. » È il «Benaco marino», come lo chiama Virgilio nelle Georgiche; caro pure a Catullo, che sulle sue sponde era nato; un lago grande come un mare. Dante ci mostra per prima la punta del Garda, chiusa dalle Alpi che segnano il confine con il Tirolo, la Germania, il mondo tedesco: le Dolomiti. Sono le montagne su cui si combatté la Grande Guerra.

Una tra queste, il Castelletto, fu scavata dai fanti italiani, per collocarvi una gigantesca mina. Gli austriaci asserragliati sulla cima sentivano il rumore dei lavori, e il profumo del cibo cucinato dai nemici nelle viscere della montagna. Quando i picconi tacquero, e fu chiaro che l'esplosione era imminente, il comandante del presidio austro-ungarico disse ai suoi uomini che chi voleva poteva andarsene; rimasero tutti. Per vedere la fiammata salì da Roma il re Vittorio Emanuele III: il boato squassò la valle, gli italiani travolsero i pochi sopravvissuti, avanzarono pieni di speranza; per poi trovarsi la via sbarrata da altre montagne, da altre trincee di ghiaccio. Pordoi, Falzarego, Tre Cime di Lavaredo: i loro nomi evocano memorie più lievi, le imprese di Coppi e Bartali.

Scrive Dante che mille fonti alimentano il lago, chiuso a est dal borgo di Garda e a ovest dalla Val Camonica; e all'incrocio delle acque c'è un punto dove i vescovi di Trento, di Brescia e di Verona potrebbero impartire la benedizione, perché tutti e tre possono rivendicare lo stesso diritto sull'ideale centro del Benaco.

Al tempo di Dante, il vescovo e signore di Brescia era un grande personaggio, Berardo Maggi: cumulava i titoli di marchese, duca e conte, come i direttori di Fantozzi; fece ricostruire il palazzo comunale, il Broletto; ed è sepolto nell'antico Duomo rotondo, sulla piazza che oggi porta il nome di Paolo VI, al secolo Giovanni Battista Montini. Quando nel 1978 il Papa bresciano morì, trovarono tra le sue carte un testamento di quattordici pagine scritte a mano, con cui si congedava dai compatrioti e dai concittadini: «Chiudo gli occhi su questa terra dolorosa, drammatica e magnifica, chiamando ancora una volta su di essa la divina Bontà. Ancora benedico tutti. Roma specialmente, Milano e Brescia... Ai cattolici fedeli e militanti, ai giovani, ai sofferenti, ai poveri, ai cercatori della verità e della giustizia, a tutti la benedizione del Papa che muore».

Sul basso lago troneggiano i bastioni di Peschiera: costruiti dagli Scaligeri per tenere a bada bresciani e bergamaschi, poi trasformati dagli austriaci in una delle fortezze contro cui si scontrarono i soldati e i volontari italiani del Risorgimento.

La prossima volta che prenderete un treno da Venezia a Milano, guardate dal finestrino quando i vagoni costeggiano il lago di Garda: vedrete (o intuirete, se mai costruiranno la linea ad alta velocità) il paesaggio caro a Dante. Le mura di Peschiera circondate dalle acque; la lunga e sottile penisola di Sirmione; il profilo del monte Baldo, su cui d'inverno si scia dominando il lago e gli ulivi di punta San Vigilio, con il piccolo porto costruito dai veneziani. Il Garda vide, nel 1439, una delle più ardite imprese navali: trentatré navi partite dalla Serenissima risalirono l'Adige, e furono portate a forza di braccia fin dentro il lago, per far guerra ai milanesi asserragliati appunto a Peschiera.

Dall'altra parte della ferrovia, si intravede la torre di San Martino, dove il 24 giugno 1859 fu combattuta e vinta la battaglia decisiva per unificare l'Italia. E non è lontana Belfiore, la valletta dove gli austriaci impiccarono almeno undici patrioti, per poi gettarli in terra sconsacrata; solo quando nel 1866 Mantova si ricongiunse all'Italia i martiri poterono avere degna sepoltura.

Proprio a Mantova, quando era ancora una roccaforte austriaca, il duca di Modena aveva portato prigioniero Ciro Menotti, per evitare che venisse liberato a furor di popolo. In suo onore, Giuseppe Garibaldi – al tempo l'uomo più famoso del mondo – chiamò Menotti il primogenito. Prima di essere impiccato, nel 1831, Ciro scrisse alla moglie Cecchina l'ultima lettera: «Pensa ai figli e in loro sèguita a vedervi il loro genitore; e quando l'età farà conoscere chi era, dirai loro ch'era uno che amò sempre il suo simile». La lettera però fu sequestrata dai carcerieri; la moglie di Ciro Menotti poté leggere quelle parole così nobili solo diciassette anni dopo, al tempo dell'insurrezione del 1848. E noi possiamo essere fieri di questo: i nostri eroi, i nostri patrioti – nel Risorgimento, nella Grande Guerra, nella Resistenza – non sono comandanti di eserciti, non hanno ordinato stragi, né soggiogato altri popoli; sono vittime che hanno saputo morire bene, senza piagnucolare, senza scrivere una sola parola di odio per i carnefici, esprimendo un profondo desiderio di pace e di amore per l'umanità.

Ma la descrizione di Dante non è finita. L'acqua trabocca dal lago e diventa fiume, il Mincio, che scorre tra verdi pascoli sino a Governolo, dove sfocia nel Po. Qui – secondo la leggenda – Papa Leone Magno fermò le orde di Attila. Prima, però, il fiume si «'mpaluda» in un terreno basso.

In quel luogo deserto, propizio alle arti stregonesche, si stabilì la maga Manto, «per fuggire ogne consorzio umano»; qui «visse, e vi lasciò suo corpo vano». Sulle sue «ossa morte» fu costruito un insediamento, protetto dalle acque che lo circondavano; e i primi abitanti lo chiamarono Mantova. Virgilio confuta così la diceria che voleva la città costruita dalla strega, e corregge pure se stesso: nell'Eneide è indicato come fondatore di Mantova il figlio della maga, Ocno. Dante vuole prendere le distanze dalla tradizione, che collega la nascita delle città a eventi soprannaturali, a segni celesti, alle arti divinatorie. E coglie l'occasione per sfatare la fama di mago che aleggiava attorno alla figura di Virgilio; che per lui è maestro di poesia civile, non di stregonerie.

Della storia di Mantova il poeta cita solo un episodio: la follia di Alberto da Casalodi, signore guelfo della città, che seguì il consiglio ingannevole di Pinamonte Bonacolsi, ghibellino, e per ingraziarsi il popolo cacciò alcune grandi famiglie dell'aristocrazia; rimasto senza sostenitori, fu sconfitto dagli stessi Bonacolsi, che infatti al tempo di Dante erano padroni di Mantova.

Sette anni dopo la morte del poeta, nel 1328, la città sarà presa dai Gonzaga, che ne faranno una delle capitali del Rinascimento. Andrea Mantegna decorerà il loro castello con ritratti di duchi e di angeli, Giulio Romano affrescherà giganti, mentre il mantovano Teofilo Folengo comporrà nel suo latino maccheronico il Baldus, poema antieroico: «Caput grattans dextra culumque sinistra…».

Nella bolgia prosegue intanto la processione degli indovini, e Dante chiede a Virgilio di indicargli qualcuno tra loro che sia «degno di nota» (altra espressione entrata nell'uso comune). Quello che porta la barba sulle spalle è Euripilo, che insieme con Calcante suggerì ai Greci di sacrificare la giovane Ifigenia, figlia di Agamennone, prima di salpare per Troia (questa almeno è la versione di Dante, diversa da quella dell'Eneide, dove Euripilo aiuta gli Achei a tornare in patria). Al suo fianco ci sono personaggi storici: Michele Scoto, l'astrologo di Federico II; Asdente, che previde la sconfitta dell'imperatore per mano delle milizie di Parma; Guido Bonatti, di cui si diceva che avesse consigliato il comandante ghibellino a Montaperti, Guido Novello. Ci sarebbe forse anche Nostradamus, se fosse vissuto al tempo di Dante. Nostradamus è per noi l'indovino per eccellenza: mai nessun profeta si è avvicinato tanto alla realtà, sia pure mascherata da versi oscuri; non a caso divenne celebre già in vita, per aver predetto la morte del re di Francia Enrico II in un torneo cavalleresco. E arrivò a vedere sin quasi ai nostri giorni, scrivendo di «Hister», «audace, nero, orgoglioso e iniquo uomo», in cui molti hanno riconosciuto il Führer (ma per altri commentatori Hister è solo il nome antico del Danubio), e del «Nero feroce appeso per i piedi», che assomiglia davvero al Duce a piazzale Loreto. Nostradamus non riuscì però a trasmettere il proprio dono al figlio: per dimostrare di essere all'altezza del padre, il poveretto previde un incendio; e morì nel tentativo di appiccarlo.

Nel Medioevo e anche nel Rinascimento ogni signore aveva il proprio indovino, che consultava prima di prendere le decisioni importanti; ma Dante disprezza quell'arte ingannevole, che ai suoi occhi contraddice sia il ruolo di Dio nella storia, sia il libero arbitrio dell'uomo; così gli astrologi, onorati e temuti in vita, sono puniti e scherniti nell'aldilà. Il poeta crede nell'astronomia e anche nell'astrologia: i segni zodiacali possono rivelare alcune caratteristiche degli uomini nati sotto il loro influsso; lui ad esempio è dei Gemelli, ha un temperamento creativo e artistico, sia pure soggetto ad alti e bassi, a commozione e a furia, a entusiasmo e a disperazione. Però non crede che le stelle possano cambiare i destini. Quella è responsabilità dell'uomo, e di Dio.

Così Dante colloca all'Inferno anche le donne che lasciarono ago, spola e fuso per fare «malìe con erbe e con imago», fabbricare filtri d'amore o statuette di cera per cambiare il corso delle cose o nuocere al prossimo. Considerato che anche oggi le maghe – e i maghi – non hanno perso mercato, su questo tema la Divina Commedia è fin troppo moderna: l'auspicio che la fede e la ragione prevalgano sulla superstizione non si è ancora realizzato.

Già la luna tonda tramonta all'orizzonte, e si tuffa nel mare sotto Siviglia, all'estremo Occidente: è il plenilunio dopo l'equinozio di primavera; si avvicina la Pasqua. Per indicare l'astro, Dante usa la perifrasi «Caino e le spine»: perché l'uomo medievale credeva di vedere nelle macchie lunari la figura di Caino che porta sulle spalle un fascio di spine.

I due poeti vanno conversando di argomenti «che la mia comedìa cantar non cura» – affari loro insomma –, quando arrivano in vista della quinta bolgia. Si sen-

tono «pianti vani»: perché piangere in vita può servire, ma qui no, dal momento che le lacrime non danno
conforto, né procurano aiuto. Il buio particolarmente
fitto nasconde un alacre fervore.

Pare di essere nell'Arsenale di Venezia, dove d'inverno bolle «la tenace pece» con cui si riparano le barche.
Siccome non si può navigare per la cattiva stagione,
c'è chi restaura il legno, chi riempie le fessure aperte
nelle fiancate dal logorio di tanti viaggi, chi ribatte con
il martello i chiodi a prua e chi a poppa, chi costruisce remi e chi torce la canapa per fare le sartie con cui
manovrare le vele; chi rattoppa il terzeruolo, la vela
di prua, e chi l'artimone, la vela maggiore.

Come l'Arsenale, anche la bolgia è colma di una pece
spessa, che ribolle non per il fuoco acceso dagli uomini
ma per arte divina. Dante si china a guardare, e vede
solo una massa vischiosa che si solleva e si comprime,
con le bolle che si gonfiano e scoppiano.

All'epoca, l'Arsenale era la più grande fabbrica d'Europa. Non sappiamo se lui l'abbia mai visitata; di sicuro la descrive come se l'avesse vista. Oggi il luogo
torna ad animarsi per la Biennale d'Arte: ci sono artisti e critici di tutto il mondo, due drag queen tedesche dal cranio rasato, il filosofo Bernard-Henri Lévy
che passa in motoscafo salutando folle che lo ignora-
no – «ma quello chi è?» –, Marina Abramović con le
sue performance da mistica medievale, la figura un
po' luciferina di Roberto D'Agostino grande collezio-
nista, Vittorio Sgarbi che inveisce contro tutti, magnati
su yacht grandi come isole battenti bandiere di paradi-
si fiscali, e una schiera di splendide visitatrici che impressionò il gruppo folk Pitura Freska: «Quanta mona
che ghe xè a la Bienal!».

Ancora nell'Ottocento qui si costruivano e riparavano le navi. L'Arsenale restava una fabbrica gigantesca. La guarnigione che sorvegliava i cantieri e la città era composta per metà da soldati slavi, e per metà da veneti di terraferma, che non amavano i veneziani, i quali li avevano tenuti sotto il tallone per secoli. Il capo era un croato, il conte Marinovich, uomo spietato: ogni volta che gli arsenalotti chiedevano un aumento della loro magra paga, rispondeva: «Forse la prossima settimana». Quando nel 1848 Venezia – come tutte le grandi città italiane – insorge contro gli austriaci, gli operai fanno prigioniero Marinovich. Lui tenta di scappare ma viene pugnalato a morte. Chiede un prete, e gli viene risposto: «Forse la prossima settimana». A quel punto la guarnigione ha l'ordine di aprire il fuoco, ma avviene il miracolo: a rischio della vita, veneti rifiutano di sparare su altri veneti; italiani evitano di colpire altri italiani. La folla libera dal carcere i patrioti Niccolò Tommaseo e Daniele Manin. Risorge la Serenissima, ma come bandiera non viene scelto il glorioso vessillo di San Marco, bensì il tricolore italiano, con un leone in alto a sinistra. Segno che le due bandiere e le due patrie possono e debbono stare insieme. E che il legame con la città, il campanile, il dialetto, non è incompatibile con quello che ci unisce alla madrepatria comune, l'Italia.

La Repubblica di Venezia fu soffocata dall'assedio austriaco – «il morbo infuria, il pan ci manca/ sul ponte sventola bandiera bianca» –; Daniele Manin morirà in esilio, a Parigi. Ma dopo che nel 1866 il Veneto sarà ricongiunto all'Italia, i veneziani faranno tornare le sue spoglie, e le saluteranno con una grande cerimonia in piazza San Marco. Per quasi un secolo e mezzo non si faranno funerali in piazza. Fino a quando, nel novembre 2015, da Parigi non tornerà il corpo di una giovane ragazza veneziana, Valeria Solesin, unica vittima italiana dell'attacco terroristico del Bataclan. Per lei hanno pregato il patriarca, il rabbino e l'imam, i rappresentanti delle tre religioni monoteiste. E in piazza San Marco sventolavano il vessillo con il leone di Venezia, il tricolore, e la bandiera con le stelle d'Europa.

Sedici

Poveri diavoli

Dove Dante suggerisce versi a Ungaretti, inventa
i nomi dei demoni e palleggia con le arance come Maradona

I diavoli sono angeli caduti; per questo hanno ancora
le ali, ma nere, come quelle dei pipistrelli.

Virgilio avverte Dante che sta arrivando correndo,
quasi volando, un demone nero, feroce nel volto e crudele nel contegno. Sulle spalle aguzze porta un peccatore, tenendolo stretto per le caviglie, come una preda, e
annuncia con aria di trionfo agli altri diavoli, che chiama Malebranche: «Ecco un de li anzian di Santa Zita!».

Il dannato è uno dei supremi magistrati di Lucca,
la città devota a Zita, patrona delle domestiche. Era
una popolana morta nel 1278, non ancora canonizza-
ta quando Dante scrive la Commedia; ma già è definita santa, come da giudizio popolare. Zita era celebre
per la generosità con cui sfamava i poveri; e quando il
padrone di casa la sorprese con un grembiule pieno di
pane, lei assicurò che fosse colmo di fiori; ovviamente
le pagnotte si trasformarono in rose.

Il diavolo getta il corpo nella pece, e avverte i colleghi che deve tornare subito a Lucca, dove tutti sono
«barattier», corrotti, tranne Bonturo; poi fugge via, con
la furia di un mastino che insegue il ladro. La sua è

una frase sarcastica: in realtà Bonturo Dati, mercante alleato dei guelfi di Firenze, era considerato uomo tra i più corrotti del tempo. Non a caso fu grande amico di Bonifacio VIII; il Papa lo accoglieva con complicità, e quando una volta lo scosse amichevolmente per un braccio, si sentì rispondere: «Tu scuotesti mezza Lucca». L'altra metà era nelle mani di Martino Bottaio, che è forse il barattiere appena portato all'Inferno; infatti morì nei primi giorni dell'aprile 1300, più o meno durante il viaggio di Dante. Il suo corpo sprofonda e poi riemerge, coperto di pece. Ed ecco irrompere in scena, come a teatro, una torma di diavoli, fino a quel momento nascosti sotto un ponte, che afferrano il dannato con i loro uncini e lo scherniscono: «Qui non ha loco il Santo Volto!», qui è inutile invocare l'antichissimo crocefisso nero venerato a Lucca; «qui si nuota altrimenti che nel Serchio!», il fiume che attraversa la città.

A noi piace pensare anche al Serchio – «al quale hanno attinto/ duemil'anni forse/ di gente mia campagnola/ e mio padre e mia madre» – citato da Giuseppe Ungaretti, nella poesia che enumera i fiumi della sua vita: il Nilo, sulle cui sponde è nato; la Senna, dove si è riconosciuto come poeta; e l'Isonzo, in cui si riconosce come italiano. Ungaretti amava l'Italia, ma non c'era mai stato. Allo scoppio della prima guerra mondiale parte volontario, frequenta il corso ufficiali, ma non lo supera, viene giudicato «inadatto al comando». Farà tutta la Grande Guerra come soldato semplice, scrivendo lettere d'amore per i compagni che in cambio gli portavano lo zaino e il fucile lungo le marce, e tracciando versi a matita sulle scatole di proiettili:

Sono un poeta
un grido unanime
sono un grumo di sogni

Sono un frutto
d'innumerevoli contrasti d'innesti
maturato in una serra

Ma il tuo popolo è portato
dalla stessa terra
che mi porta
Italia

E in questa uniforme
di tuo soldato
mi riposo
come fosse la culla
di mio padre.

Ungaretti ammirava moltissimo Dante, scrisse un commento alla Commedia, e fu ispirato da alcuni tra i versi più celebri dell'Inferno. «Si sta come/ d'autunno/ sugli alberi/ le foglie» ricorda la scena in cui Caronte batte i dannati con il remo: «Come d'autunno si levan le foglie/ l'una appresso de l'altra, fin che 'l ramo/ vede a la terra tutte le sue spoglie,/ similemente il mal seme d'Adamo...». E quando Ungaretti nelle trincee scrive «Ora mordo/ come un bambino la mammella/ lo spazio./ Ora sono ubriaco/ d'universo» evoca l'ultimo canto del Paradiso, dove Dante si paragona a «un fante/ che bagni ancor la lingua a la mammella».

Più che i lucchesi, nell'Inferno è condannata in generale la corruzione, che trasforma un no in un sì in cambio di denaro. È un malcostume che offende in modo particolare la passione di Dante per la politica e la vita civile. Proprio di baratteria sarà accusato lui stesso, per giustificarne l'esilio da Firenze. Una condanna che il poeta considera ridicola, al punto da non dover essere presa sul serio.

Il tono del racconto è comico, non drammatico. I diavoli sono paragonati ai «vassalli» dei cuochi – oggi diremmo sous-chef –, che fanno bollire le carni nel pentolone. Virgilio e Dante si muovono un po' come Totò e Peppino, in un clima farsesco, da commedia dell'arte, quasi da commedia all'italiana. Virgilio è la spalla, quello che parla seriamente, in modo forbito, mentre i diavoli si prendono gioco di lui, e Dante si nasconde dietro una roccia, «quatto quatto», pieno di paura.

Virgilio si sforza di tranquillizzarlo: è già stato qui, sa come trattare con i demoni. Ma quelli gli si fanno attorno ringhiando, come cani rabbiosi che spaventano un povero mendicante. Virgilio protesta: almeno ascoltatemi, poi deciderete se uncinare pure me! E i diavoli mandano a parlamentare il loro capo, Malacoda. Questi finge di arrendersi, lasciando cadere l'uncino, e intanto orchestra una beffa: indicherà ai due poeti un cammino sbagliato, in modo che si perdano nell'Inferno.

Dante esce dal nascondiglio, ma subito si vede circondato dai diavoli; e la scena gli fa tornare in mente un ricordo di guerra. È l'unico passaggio del poema in cui fa riferimento alla propria esperienza militare: non alla battaglia di Campaldino, alla grande vittoria dei fiorentini su Arezzo, ma a un episodio successivo.

L'esercito guelfo in cui milita Dante assedia il castello di Caprona. I difensori si arrendono, ma quando escono dalle mura si trovano circondati dai nemici, e temono che questi non rispettino i patti. Allo stesso modo, Dante diffida dei diavoli che lo serrano da ogni parte, e minacciano di picchiarlo «sul groppone».

Malacoda invita il compagno più scatenato a calmarsi – «Posa, posa, Scarmiglione!» –, e tesse il suo inganno: andare oltre non si può, perché il ponte è crollato; proprio ieri, cinque ore più tardi di quest'ora, sono stati i 1266 anni del terremoto che squassò l'Inferno, seguito alla crocefissione di Cristo. È la conferma che il viaggio di Dante avviene durante la settimana santa, e più precisamente che sono le sette del mattino del sabato; infatti nel Convivio Dante scrive che Gesù morì a mezzogiorno del venerdì. Malacoda assicura – mentendo – che, risalito il dirupo, i due visitatori troveranno una via d'uscita; e convoca dieci diavoli perché li accompagnino.

Qui Dante dà sfogo alla fantasia, dimostra la sua straordinaria bravura con le parole, fin quasi al virtuosismo: come Maradona quando palleggia scalzo con le arance. Alichino, Calcabrina, Cagnazzo, Barbariccia, Libicocco: ognuno dei nomi inventati dal poeta scoppia come una granata. Draghignazzo, Ciriatto sannuto, Graffiacane, Farfarello, Rubicante pazzo… «Deh, sanza scorta andianci soli» propone Dante a Virgilio, tremando di timore; io di questa compagnia faccio volentieri a meno; «non vedi tu ch'e' digrignan li denti», e ci minacciano aggrottando le sopracciglia?

Virgilio lo tranquillizza: digrignino pure quel che vogliono; lo fanno per spaventare i dannati, non noi. In realtà, i diavoli hanno capito la trama del loro capo, e gli fanno la linguaccia, come segno d'intesa; «ed elli avea del cul fatto trombetta». L'oscena risposta di Malacoda, parodia della vita militare – un reparto, un appello, un suono di tromba –, è forse l'unico verso dantesco che generazioni di studenti svogliati e di goliardi impenitenti hanno imparato a memoria.

Il diavolo può venire raffigurato in tre modi. Orribile e malvagio, del tutto teso al male: come lo spirito maligno della saga cinematografica dell'Esorcista, che si accanisce sulle ragazzine, sulle guaritrici, sugli innocenti. Ma il diavolo può essere anche bello e seducente, quindi ancora più pericoloso: come Lucifero che tenta Adamo ed Eva e dà inizio alla storia dell'uomo, cacciato per causa sua dall'Eden. Oppure comico e buffo: un povero diavolo. Come Belfagor Arcidiavolo della novella di Machiavelli, che sale sulla terra per verificare se davvero le mogli siano la rovina degli uomini, si innamora perdutamente di monna Onesta, e la prende in sposa; ma è talmente infelice per i suoi capricci che, insieme con i diavoli suoi aiutanti, preferisce tornare all'Inferno.

I demoni di Dante appartengono a questa terza, grottesca categoria. Non hanno nulla di terrificante; sono inaffidabili e burloni, proprio come gli uomini. Assomigliano un po' al diavolo dei burattini: infatti il primo si chiama Alichino, e forse da lì viene l'Arlecchino della commedia dell'arte.

Si è molto discusso sull'origine dei loro nomi. Farfarello è un folletto; Ciriatto viene da *ciro*, che in toscano antico significa porco, ma avendo le zanne («sannuto») sembrerebbe semmai un cinghiale; Libicocco pare una crasi tra libeccio e scirocco, venti che portano tempesta; Rubicante rosseggia come il fuoco. In realtà, è inutile cercare un significato. Dante semplicemente si diverte, gioca con i suoni, inventa nomi che suonino spaventosi ma non troppo, inquietanti e buffi nello stesso tempo.

Si chiama Malacoda, nella traduzione italiana, anche il diavolo inventato da Clive Staples Lewis, l'autore delle Lettere di Berlicche. In quest'opera geniale – dedicata all'amico Tolkien, quello del Signore degli Anelli –, Lewis immagina che un diavolo potente, Berlicche, insegni al nipote Malacoda le tecniche per dannare gli esseri umani. Malacoda però è maldestro, e viene di continuo minacciato di essere punito nella Casa di Correzione per Tentatori Incompetenti; una specie di scuola di Harry Potter, una Hogwarts per malvagi. Alcuni passi delle lettere sono rivelatori: Berlicche scrive che «il Nemico», cioè Dio, «vuole uomini che si preoccupino di ciò che fanno; nostro compito è invece di farli pensare sempre a ciò che capiterà loro». Insomma, Dio è anglosassone, e predica l'etica della responsabilità; il diavolo è latino, e raccomanda l'arte di arrangiarsi.

Nella letteratura, però, il Maligno è quasi sempre affascinante. Il prototipo è Mefistofele, che fa firmare al dottor Faust il patto con il sangue: la conoscenza, o il piacere, in cambio dell'anima. Se però nella tragedia di Marlowe alla fine Faust è dannato, nel poema di Goethe è il diavolo a essere sconfitto, e Faust è salvo; ma forse è solo l'inguaribile idealismo tedesco (anche Cappuccetto Rosso salta fuori viva dalla pancia del lupo nella fiaba dei fratelli Grimm, mentre nella versione di Perrault viene digerita).

Bulgakov mette in scena un diavolo poliglotta, con l'occhio destro nero e l'occhio sinistro verde, che compare nei momenti decisivi della storia, ad esempio accanto a Pilato che condanna a morte Cristo; e va a colazione con Kant, per ammonirlo che delle sue opere «non si capisce proprio nulla. La prenderanno in giro».

Anche nell'Avvocato del diavolo, grande film di Hollywood, Al Pacino parla tutte le lingue e conosce tutte le cose, per prime quelle sgradevoli. Così nella metropolitana di New York apostrofa un ispanico che lo minaccia con un coltello: «Maricella, tua moglie, quando sei uscito di casa era sulle scale con Carlos. Ora stanno fumando crack in cucina; poi lui la possederà nel tuo stesso letto, quello con la coperta verde; e a lei piacerà moltissimo... quel coltello piantalo dove merita». Anche Robert De Niro ha recitato la parte di Lucifero, anzi di mister Louis Cyphre, in Angel Heart, dove divora in un sol boccone un uovo sodo, simbolo dell'anima.

In tutti i film sulla vita di Gesù il diavolo ovviamente ha una sua parte. Pasolini la affida a un contadino di Matera, che davanti ai Sassi tenta invano per tre volte di indurre in tentazione Cristo, interpretato da un sindacalista catalano di 19 anni, Enrique Irazoqui, che nel 1964 era in Italia a raccogliere fondi per la lotta antifranchista.

Secondo Martin Scorsese, il Vangelo secondo Matteo di Pasolini resta il più bel film su Gesù, anche se lui stesso vi si è cimentato con L'ultima tentazione di Cristo. Qui Satana è un'adorabile fanciulla bionda, che appare a Gesù agonizzante per convincerlo a scendere dalla croce e a vivere una vita normale, prima con la Maddalena e poi con Maria, la sorella di Lazzaro; ma alla fine Satana viene respinto, Gesù accetta il proprio destino di Messia, e muore per riscattare l'umanità. Mentre a Matera, quarant'anni dopo Pasolini, tornò Mel Gibson per girare La passione di Cristo: il diavolo è un'inquietante creatura androgina, interpretata da Rosalinda Celentano, che vistasi sconfitta dal sacrificio di Gesù chiude il film lanciando un urlo disperato.

Anche nell'Inferno di Dante, del resto, Malacoda conosce non soltanto l'anno e il giorno ma pure l'ora della morte del figlio di Dio, che segna la salvezza dell'uomo e l'eterna sconfitta del Maligno. Buffo, seducente o disgustoso che sia, il diavolo è destinato a essere vinto, per quanto continui a tendere insidie all'uomo. Come ammonisce Franco Battiato: «Lo sapeva bene Paganini/ che il diavolo è mancino e subdolo/ e suona il violino». Da piccolo era mancino pure Battiato; e i suoi per abituarlo a usare la mano destra gli legavano crudelmente la sinistra dietro la schiena, sia pure con una sciarpa di seta.

Dante si mette in viaggio scortato dai diavoli; e prosegue la metafora bellica. Nella sua vita ha visto cavalieri togliere il campo, marciare in rassegna, andare all'assalto, fuggire per salvarsi la vita; e ha visto i vincitori di Campaldino devastare Arezzo, altri cavalieri fare scorrerie nelle campagne, giostrare, combattere nei tornei, a volte al suono delle trombe, altre volte delle campane e dei tamburi, o seguendo segnali di fumo o fuochi notturni; ha visto pure marinai orientarsi con le stelle o con le segnalazioni fatte da riva; però mai ha visto prima d'ora un manipolo bizzarro come quello dei demoni. Del resto, in chiesa si va con i santi, «in taverna coi ghiottoni»; e all'Inferno con i diavoli.

A volte i barattieri saltano fuori dalla pece inarcando la schiena, per alleviare il tormento, come fanno i delfini per avvisare i marinai di una burrasca imminente; di altri dannati spuntano solo gli occhi – come le rane che sporgono appena dall'acqua –, pronti a sparire non appena si avvicina Barbariccia. Ma un peccatore esita più degli altri, e viene afferrato per i capelli dall'uncino di Graffiacane, che lo tira su come fosse una lontra. Tutti incitano Rubicante, il più crudele, a scuoiarlo. Dante vorrebbe sapere il nome del poveretto, e Virgilio glielo chiede.

Il barattiere perseguitato dai diavoli è Jean-Paul di Navarra, che i toscani chiamarono Ciampòlo. Figlio di un barone dissennato, morto suicida dopo aver sperperato la propria fortuna, divenne cortigiano «del buon re Tebaldo»: Thibaut II di Navarra.

Qui Dante accenna a un'altra storia della sua giovinezza: Tebaldo aveva sposato Isabella di Francia, figlia di re Luigi, e aveva seguito il suocero nell'ottava crociata, contro l'emiro di Tunisi. Ma in Africa il re era morto, il 25 agosto 1270, forse di peste, più probabilmente di dissenteria. Bonifacio VIII lo farà santo. Il corpo venne bollito, come quello dell'imperatore Enrico, per separare le ossa – portate a Parigi – dalle viscere, custodite ancora oggi nel duomo di Monreale, dagli splendidi mosaici. Fu proprio Tebaldo a prendere in custodia i resti del re: la sua nave sbarcò in Sicilia, dove però morì pure lui. In Tunisia rimase solo il principe Edoardo, futuro re d'Inghilterra; ma dopo essere sfuggito a un agguato decise di tornare a casa. Di crociate non se ne fecero più.

È possibile che Dante abbia conosciuto Ciampòlo di Navarra nel suo misterioso viaggio a Parigi. Secondo Boccaccio, il poeta avrebbe seguito lezioni di filosofia naturale e teologia alla Sorbona, dando prova di straordinario talento: un giorno ascoltò quattordici discussioni filosofiche di fila, e le riassunse tutte, davanti a un uditorio che gridò al miracolo. Altri sostengono che Dante sarebbe entrato in contatto con i templari, che l'avrebbero illuminato con la loro saggezza. Ma notizie esatte del suo viaggio in Francia non ce ne sono; anche se porta il nome di Dante una strada del Quartiere Latino, dove c'è l'ultima casa in legno di Parigi, la più antica.

Il povero Ciampòlo viene aggredito pure da Ciriatto, il demone con le zanne da cinghiale, che lo lacera con il suo uncino; e deve intervenire Barbariccia, per proteggerlo e consentirgli di parlare pur fra le interruzioni di Libicocco, che gli strappa un lacerto di braccio, e di Draghignazzo, che lo ferisce alle gambe.

Virgilio gli chiede se sotto la pece ci sia qualche «latino», cioè italiano. Ciampòlo risponde che poco prima stava con un sardo, definito «un che fu di là vicino». Anticamente infatti la Sardegna non era considerata parte dell'Italia vera e propria; il che farebbe la gioia dei separatisti. Al tempo di Dante l'isola era stata conquistata dai pisani e divisa in quattro giudicati: Gallura, Arborea, Logudoro e Callari (oggi diremmo Cagliari).

Il dannato sardo è frate Gomita, vicario del magistrato che Pisa aveva mandato a governare la Gallura, Nino Visconti. Visconti era amico di Dante, e deve essere stato lui a raccontargli la vicenda: il frate si era trovato per le mani alcuni nemici del suo sovrano, ma anziché consegnarglieli li aveva mandati liberi in cambio di denaro; Visconti non ne fu contento e lo fece impiccare.

Accanto a frate Gomita nella bolgia c'è un altro barattiere sardo, Michele Zanche. Il figlio di Federico II, re Enzo, gli aveva affidato la regione del Logudoro, dopo aver sposato una nobildonna del luogo, Adelasia di Torres; ma quando re Enzo fu fatto prigioniero dai bolognesi, Michele ne usurpò il potere e forse pure la moglie.

«A dir di Sardigna / le lingue lor non si sentono stanche», scrive Dante: i due sardi passano il tempo a parlare della loro terra. Un verso che Francesco Cossiga amava ripetere. Anche se poi aggiungeva che, quando Enrico Berlinguer fece cadere il suo governo, invano lui tentò di ottenerne la benevolenza ricordandogli la sarditudine e pure la cuginanza: «Con i parenti si mangia l'agnello, non si fa politica» fu la risposta del leader comunista (al che Cossiga replicò con lo stesso «vaffa» reso poi celebre da Grillo).

A questo punto Ciampòlo inventa uno stratagemma per liberarsi dei diavoli, tutti in attesa che smetta di parlare per avventarsi su di lui, in particolare Farfarello che lo guarda con occhi cattivi. Il dannato propone a Dante e a Virgilio di chiamare barattieri toscani e lombardi, cioè della loro terra: basta che i demoni si allontanino un poco, e lui farà agli altri peccatori il segnale convenuto – un fischio – per avvertirli che la via è libera, e possono riemergere dalla pece. L'unico a intuire l'inganno è Cagnazzo, che avverte i compagni: questo è un trucco per sfuggirci. E Alichino avvisa il dannato: se tenterà di scappare, lui gli verrà dietro non al galoppo, ma volando.

«O tu che leggi, udirai nuovo ludo»: Dante avvisa il lettore che sta per assistere a un duello mai visto prima. E infatti Ciampòlo si divincola e si getta nella pece. Alichino si lancia all'inseguimento, ma deve rinunciare a tuffarsi, e torna su sbattendo le ali, crucciato come il falcone che non riesce ad afferrare l'anatra, scomparsa sott'acqua. L'ultimo diavolo, Calcabrina, accusa Alichino di essersi lasciato sfuggire il barattiere: i due si azzuffano e si artigliano come sparvieri; e finiscono entrambi nella pece. Le ali si impregnano, i diavoli non riescono a liberarsi, e Barbariccia deve organizzare due squadre di soccorso, che li traggono in salvo quando sono già «cotti dentro da la crosta», dentro la pelle croccante. Così non soltanto Ciampòlo fugge, ma pure Dante e Virgilio si liberano dei diavoli.

In realtà, il «barattiere» che loro vorrebbero catturare è Dante stesso; ma come i fiorentini non riusciranno a mandarlo sul patibolo, così i demoni restano scornati. Il poeta la butta in ridere, perché l'accusa che gli è stata rivolta non è credibile.

Diavoli e uomini si scambiano il ruolo: sono i carcerieri a finire nella pece dove giacciono i carcerati. La rissa tra Alichino e Calcabrina ricorda quella che nell'Italia medievale vede le città l'una contro l'altra, oltre che lacerate dalle rivalità interne. L'uomo può essere un angelo, ma può anche rivelarsi un demone per i suoi simili. Talvolta i diavoli siamo noi; e l'Inferno può essere sulla Terra.

Diciassette

Dante rocciatore

Dove il poeta va sullo scivolo, arrampica in montagna,
loda san Francesco e calpesta Caifa crocefisso

Dopo le emozioni della fuga dai diavoli, Dante tace e
pensa. Quel che ha visto gli ricorda una fiaba di Esopo.
Il topo chiede alla rana un passaggio per attraversare il fiume. Fingendo di volerlo aiutare, la rana lega
una zampa del topo alla sua; ma nel mezzo della cor-
rente si tuffa per affogarlo. Dall'alto però scende uno
sparviero a ghermire il topo; e porta via con lui anche la rana.

Allo stesso modo, Calcabrina ha finto di aiutare
Alichino, con l'intenzione di azzuffarsi con lui; ed
entrambi sono finiti nella pece. E poiché un pensiero
ne genera un altro, e il ricordo della paura per il pericolo appena trascorso riaccende la paura stessa, così
Dante è colto dal timore che i diavoli vogliano inse-
guirlo, come il cane corre dietro alla lepre; e si sente
«tutti arricciar li peli».

Virgilio, che riflette dentro di sé i sentimenti di Dante
come in uno specchio, gli spiega che stanno cercando
un passaggio per scendere nella sesta bolgia; ma ecco
che in effetti i diavoli si avvicinano «con l'ali tese», per
acciuffarli. Allora Virgilio prende Dante tra le braccia,

come la madre svegliata di soprassalto da un incendio afferra il figlio e fugge nuda, badando a lui più che a sé, senza neppure indossare una camicia (all'evidenza, nel Medioevo si dormiva nudi).

Virgilio si lascia andare supino lungo la parete rocciosa, trascinando Dante come su uno scivolo, veloce come l'acqua che fa girare le pale del mulino; e ai diavoli non resta che guardarli dall'alto, senza poterli inseguire, perché per legge divina sono costretti a restare nella loro bolgia.

I due poeti camminano ora uno dietro l'altro, «come frati minor vanno per via»: i francescani andavano sempre in coppia, come gli apostoli dopo la morte di Gesù (mentre oggi lo diciamo dei carabinieri). Non è la prima volta che Dante evoca i frati di Francesco, un santo che lo affascina. Nel Paradiso gli dedicherà un intero canto, presentandolo come la salvezza della Chiesa, per la quale Cristo versò il suo sangue benedetto e lanciò grida di dolore sulla croce. Come il sole nasce dal Gange, così da Assisi viene Francesco; e la povertà, per più di mille anni ignorata e disprezzata, trovò in lui un secondo marito, dopo Gesù, che l'aveva amata con «dolce sguardo».

Dante ricorda che Francesco si scontrò con il padre, convinse il Papa ad approvare la sua dura regola, accolse i confratelli decisi come lui a mendicare scalzi, predicò il Vangelo davanti al sultano, ricevette le stimmate, lasciò ai successori l'ordine di restare sempre poveri. Giunto alla fine, chiese di essere sepolto nella nuda terra: «E del suo grembo l'anima preclara/ mover si volle, tornando al suo regno, e al suo corpo non volle altra bara».

Oggi i versi del Paradiso sono scolpiti all'ingresso del sacro convento di Assisi, tornato luogo di incontro e dialogo da quando Giovanni Paolo II invitò nella città del santo tutti i leader religiosi, per pregare insieme. Accanto alla citazione della Divina Commedia, una scritta ricorda: «Il tempo che passa è Dio che viene».

Francesco è il santo di Dante, perché è animato da una fede disinteressata, perché disprezza il potere e il denaro. Ma non sempre gli uomini di Chiesa hanno seguito il suo esempio. Ora il poeta incontra una processione di gente «stanca e vinta», che avanza a «lenti passi», così lenti che camminando normalmente Dante si ritrova al fianco sempre nuovi compagni. Portano cappucci bassi sugli occhi, come i monaci di Cluny, il monastero della Borgogna dove nacque l'ordine cluniacense, una delle grandi istituzioni medievali. Ma qui le cappe sono dorate di fuori, tanto da abbagliare chi le guarda, e di piombo all'interno: così pesanti che al confronto quelle che Federico II faceva indossare ai nemici parevano leggere come paglia. Si racconta infatti che l'imperatore chiudesse i colpevoli di lesa maestà dentro una tunica di metallo e li mettesse in una caldaia: il piombo fuso li uccideva tra atroci sofferenze.

In questa bolgia sono puniti gli ipocriti. Ricordano i farisei del Vangelo: «sepolcri imbiancati», luccicanti all'esterno, ma pieni soltanto di ossa morte. E molti sono religiosi, che ostentarono la virtù e praticarono il vizio. Le cappe strappano loro gemiti e sospiri, come il troppo peso fa cigolare le bilance.

Due di loro riconoscono l'accento toscano di Dante e si affannano per raggiungerlo, faticando sotto il carico. Lo osservano «con l'occhio bieco», con lo sguardo obliquo tipico dell'ipocrita, che non ti guarda mai in faccia, e come ipocriti parlottano tra loro: «Costui par vivo a l'atto de la gola», perché respira; e se invece è morto, perché non porta la cappa come tutti?

Dante si presenta: è «nato e cresciuto» – come diremmo anche noi oggi – sopra il bel fiume Arno, nella grande città di Firenze. I dannati invece sono bolognesi. «Frati godenti fummo»: Cavalieri della Milizia della Beata Maria Vergine Gloriosa, nome pomposo per indicare un ordine di monaci guerrieri, fondato ai tempi della crociata contro gli Albigesi per difendere la Chiesa e la pace civile, e rapidamente degenerato in una schiera di ghiottoni avidi di piacere e privilegi. Da qui il soprannome popolare di frati gaudenti, che in origine indicava l'idea di «servire Dio in letizia», ma già al tempo di Dante era sinonimo di mondanità, gola e bella vita: non a caso il popolo li chiamava anche «i capponi di Cristo».

I due frati ipocriti sono Catalano dei Malavolti, guelfo, e Loderingo degli Andalò, ghibellino; e non è la prima volta che Dante mette uno accanto all'altro all'Inferno esponenti delle due fazioni. Violando la regola che escludeva i frati gaudenti dalle cariche pubbliche, Catalano e Loderingo furono insieme podestà prima a Bologna e poi a Firenze: dove, anziché fare da pacieri, rinfocolarono le discordie, e prepararono la rovina della città. Su ordine del Papa fecero rientrare i guelfi e cacciarono i ghibellini, accendendo la furia popolare che distrusse le case degli Uberti e degli altri capi, destinati a prendersi la sanguinosa rivincita di Montaperti.

Dante sta per rispondere ai frati, quando nota un dannato crocefisso a terra, inchiodato a tre paletti, che si contorce «soffiando ne la barba con sospiri». È Caifa, il sommo sacerdote che mandò a morte Cristo, con il pretesto che fosse meglio giustiziare un uomo solo, anziché subire una strage per mano dei Romani. Nascondere dietro il bene comune il proprio interesse privato a far morire Gesù fu la più grande ipocrisia della storia; per la legge del contrappasso Caifa è ora crocefisso, nudo; e tutti gli altri ipocriti lo calpestano. Con lui è punito suo suocero, Anna, e gli altri farisei del Sinedrio che – scrive Dante – fu seme di sventura per gli ebrei, poi duramente colpiti da Tito con la distruzione del tempio e la diaspora.

Virgilio osserva meravigliato: la prima volta che era sceso sino in fondo all'Inferno, non aveva assistito alla punizione di Caifa; e non c'era ancora stato il terremoto che ha sconvolto in particolare questa bolgia, dove sono puniti alcuni tra i responsabili della crocifissione di Gesù. Frate Catalano lo informa che lì vicino passa il ponte che valica tutte le dieci bolge. Soltanto qui è crollato; ma scalando le macerie si può proseguire il cammino.

Virgilio resta a testa china: si rende conto soltanto adesso che Malacoda gli ha suggerito il cammino sbagliato. Il frate si prende gioco di lui: dovrebbe sapere che il diavolo «è bugiardo e padre di menzogna». Indignato, Virgilio si allontana a grandi passi, ferito nell'orgoglio per l'inganno dei demoni e la malizia degli ipocriti; e Dante si affretta a seguirlo.

Quando l'anno è ancora giovane, e il sole dopo le rigidità di gennaio va raddolcendo i suoi raggi sotto il segno dell'Acquario, mentre le notti cominciano ad accorciarsi e i giorni ad allungarsi; e quando la brina ricopre la terra come per imitare la «sua sorella bianca», la neve, allora il pastorello si alza e si dispera nel vedere la campagna «biancheggiar tutta», perché crede di non potere portar fuori il gregge. Poi però si accorge che il mondo all'improvviso cambia faccia, la brina si dissolve, torna il verde dei prati, e le pecore possono andare al pascolo. Ecco, come l'animo del pastorello passa dall'angoscia al sollievo, così Dante prima resta sgomento per l'aspetto turbato di Virgilio, poi si rasserena quando lo vede rivolgersi a lui con «quel piglio dolce» con cui l'ha accolto fuori dalla selva oscura, all'inizio del viaggio.

Ora c'è da scalare la frana, per raggiungere la settima bolgia. Virgilio studia il terreno, e intanto afferra Dante per aiutarlo, lo sospinge, gli indica la sporgenza di roccia cui aggrapparsi, dopo aver verificato che regga il peso. Virgilio insomma si muove come una guida alpina, e Dante lo segue come un rocciatore un po' inesperto, in un'arrampicata che lo mette a dura prova.

«La lena m'era del polmon sì munta»: il poeta ha il fiato corto, e si siede a riposare. Virgilio insolitamente lo rimprovera: «Convien che tu così ti spoltre», scrollati di dosso la poltroneria; restando seduti sui cuscini di piume, o sdraiati sotto le coperte, non si conquista la fama; senza la quale non si lascia nulla di sé, ma si svanisce come fumo in aria e schiuma in acqua. È tempo di alzarsi in piedi e superare la stanchezza, «con l'animo che vince ogne battaglia». Non basterà uscire dall'Inferno; ci sarà da scalare la montagna del Purgatorio, ben più alta e faticosa di questa salita.

Proprio nel Purgatorio, Dante dirà che «il mondan romore», il rumore del mondo, è solo «un fiato di vento, ch'or vien quinci e or vien quindi»: la gloria è passeggera, il favore del popolo e dei critici va e viene. Questo però non ci esime dall'impegnarci, dall'esercitare ognuno il proprio talento, dal migliorare noi stessi e la società. Più che incitarlo a scalare la montagna, o a procurarsi fama e gloria, Virgilio vuole preparare Dante alle difficoltà che lo attendono: la disgrazia, la cacciata dalla patria, l'esilio, forse la morte in terra straniera.

E siccome la Divina Commedia parla anche di noi, Dante si sta rivolgendo alle nostre coscienze individuali, e alla nostra comunità nazionale, di cui può ritenersi il fondatore. La storia italiana destinata a venire dopo di lui non sarà fatta di grandi vittorie militari, o di leader politici capaci di disegni strategici (tranne rare eccezioni). La storia italiana sarà fatta dalla genialità e dall'umanità della nostra gente. Una genialità che si è espressa nella letteratura e nell'arte, e un'umanità che si è tradotta in capacità di sacrificio e di resistenza. Per questo saremo sempre in grado di ripartire: dopo le guerre, dopo i lunghi periodi di povertà, dopo l'esilio e la prigionia.

Nel secolo scorso, centomila fanti italiani morirono di stenti nei campi austriaci nella Grande Guerra; e oltre un milione di nostri soldati furono prigionieri in terra straniera durante la seconda guerra mondiale. Allo stesso modo, ci siamo sempre rialzati dopo le epidemie.

Il periodo che abbiamo passato, nella primavera del 2020, è stato il più impegnativo delle nostre vite. Ma i nostri antenati hanno superato prove incomparabilmente più dure. I morti per la febbre spagnola furono almeno 350 mila, e la maggioranza erano donne: restavano al capezzale dei figli, dei mariti, dei padri, e a loro volta si ammalavano.

Diciotto

Dante detective

Dove il poeta risolve un giallo medievale,
e trasforma un uomo in serpente e un serpente in uomo

Dante ora sta scarpinando, ma continua a parlare, per mostrare a Virgilio che non è più in debito di fiato. Poi inizia la discesa nella settima bolgia.

La prima immagine che si presenta ai suoi occhi è una «terribile stipa di serpenti», più numerosi e più letali dei rettili che vivono nel deserto libico, in quello etiope e in quello arabico, in riva al Mar Rosso. Dante cita anche i nomi di alcune specie: i chelidri che nuotano nell'acqua, gli iaculi che attaccano l'uomo lanciandosi dagli alberi, le faree che solcano il terreno a coda dritta, i cencri multicolori, le anfisibene con una seconda testa al posto della coda... Luoghi e nomi che ai suoi contemporanei dovevano evocare distanze infinite e immagini paurose.

«Tra questa cruda e tristissima» fauna corrono «genti nude e spaventate», senza speranza di trovare un rifugio o almeno un rimedio ai morsi dei serpenti, come avrebbe potuto essere l'elitropia: una pietra verde che nel Medioevo era considerata un antidoto contro il veleno, e secondo Boccaccio aveva pure il potere di rendere invisibili.

Qui sono puniti i ladri, tormentati dal più spregevole degli animali, simbolo di Satana; e le loro mani, che in vita erano così leste, ora sono legate dietro la schiena da tante piccole serpi.

Eccone una avventarsi contro un peccatore e morderlo alla nuca. Nel tempo in cui noi scriviamo una O oppure una I – le lettere che richiedono un solo tratto di penna –, il disgraziato prende fuoco, arde, si incenerisce, cade a terra; e subito la polvere si raccoglie, e ricompone la figura umana. Allo stesso modo – secondo quel che raccontano i «gran savi» –, la mitica fenice vive per cinquecento anni, nutrendosi solo di gocce di incenso e di amomo, un'erba aromatica; poi muore bruciata in un nido di nardo e mirra; quindi risorge dalle proprie ceneri (attribuendo la storia ai grandi sapienti, Dante sembra prenderne un po' le distanze. Altrettanto farà quasi quattro secoli dopo Metastasio, quando scriverà: «È la fede degli amanti/ come l'Araba fenice:/ che vi sia, ciascun lo dice;/ dove sia, nessun lo sa»).

Come un indemoniato o un epilettico cade a terra all'improvviso, ma poi si alza «tutto smarrito», e si guarda attorno sospirando di sollievo, così il peccatore incenerito torna in piedi. Una punizione infinita: il ladro che depredava il prossimo perde ora il bene più prezioso, il suo stesso corpo.

Entra qui in scena una delle figure più potenti e insieme animalesche dell'Inferno. Virgilio chiede al dannato come si chiama. Lui racconta di essere «piovuto» nella bolgia poco tempo prima, dalla Toscana. «Vita bestial mi piacque e non umana», come un mulo, animale bastardo; «son Vanni Fucci/ bestia, e Pistoia mi fu degna tana».

Con questo folgorante incipit, Dante evoca e risolve

uno dei più celebri gialli del Medioevo. Nel 1293 ladri sconosciuti depredarono il tesoro e le reliquie della cappella di san Iacopo nel duomo di Pistoia. Lo scandalo e l'emozione furono enormi in tutta la Toscana. In un primo tempo – lo ricorda lo stesso Dante – fu arrestato un innocente, Rampino Foresi, che sfuggì per miracolo al boia. Poi venne scoperto uno dei veri colpevoli: Vanni della Monna, notaio. Prima di essere impiccato, confessò e rivelò il nome dei suoi complici: Vanni Mironne e appunto Vanni Fucci, uno dei personaggi più noti alla cronaca nera del tempo, diverse volte condannato per rapine e omicidi; lui però aveva già lasciato Pistoia. La sua responsabilità nel furto in sacrestia non era stata provata, ma Dante se ne dice certo, anche perché forse l'ha conosciuto e lo considera «omo di sangue e di crucci», uomo sanguinario e rancoroso.

Figlio illegittimo di un nobile, partigiano dei guelfi Neri, Vanni Fucci combatté da mercenario con i fiorentini nella campagna contro Pisa. Davanti a Dante arrossisce «di trista vergogna»: è la vergogna che nasce dall'arroganza, non dal pentimento; l'attimo in cui è colto nella misera bolgia dei serpenti lo fa soffrire più di quello in cui perse la vita, probabilmente per mano altrui.

Vanni Fucci confessa il furto in sacrestia; ma poi va al contrattacco, per vendicarsi dell'umiliazione subita. Pensa che Dante goda nel vederlo così, e quasi lo minaccia: «Apri li orecchi al mio annunzio, e odi». Vuole spaventarlo: se mai il poeta riuscirà a uscire dall'Inferno – il che non è certo –, sulla Terra lo attende una sorte amara. Pistoia caccerà i Neri, che però conquisteranno Firenze.

Lo scontro viene raccontato come una tempesta in cui il fulmine – che simboleggia i Neri – squarcia le nuvole, che rappresentano i Bianchi. Marte, il dio della guerra, fa uscire una folgore dalla Lunigiana; il combattimento infuria impetuoso e atroce davanti a Pistoia; alla fine il fulmine squarcia la nebbia, e ogni Bianco ne sarà ferito.

In effetti il signore della Lunigiana, Moroello Malaspina, alleato dei Neri, guerreggiò contro Pistoia e contro i Bianchi: nel 1302 prese il castello dove si erano asserragliati i fuoriusciti fiorentini; e quattro anni dopo conquistò anche Pistoia, segnando la sconfitta definitiva della fazione di Dante.

Il campo di battaglia è lo stesso in cui Sallustio ambienta – nel 62 avanti Cristo – la sconfitta finale di Catilina, che aveva cospirato per impadronirsi della Repubblica. Torna in mente il formidabile ritratto che Sallustio tracciò del condottiero romano: «Un animo temerario, subdolo, versatile; simulatore e dissimulatore di qualsiasi cosa; avido dell'altrui, prodigo del proprio, ardente nelle passioni; di bella loquela, di poca saggezza. In lui uno spirito insaziabile anelava sempre a cose smisurate, incredibili, troppo alte». C'è una grandezza nella malvagità di Catilina. Non c'è in quella di Vanni Fucci, che si rivolge a Dante con una frase tagliente come una coltellata: «E detto l'ho perché doler ti debbia», ti racconto la rovina dei tuoi perché tu ci soffra.

A questo punto il ladro fa un gesto inaudito: «Le mani alzò con amendue le fiche,/ gridando: "Togli, Dio, ch'a te le squadro!"».

176

È questo il passo più cupo e osceno della Divina Commedia; così come la scena finale del Paradiso – per intercessione di Beatrice e della Vergine, Dio svela il proprio volto a Dante – rappresenta il passo più luminoso e sublime. Nell'Inferno Dio non è quasi mai nominato. Ma il sacrilego Vanni Fucci lo sfida, rivolgendogli con entrambe le mani un gesto volgare. Ancora due secoli dopo, Machiavelli se ne scandalizzava, rimproverando Dante per non aver «fuggito l'osceno», che «disonora tutta l'opera tua».

Ma cosa vuol dire «fare le fiche»? È un gesto volgare, che mima l'atto erotico, o meglio la sottomissione sessuale. È l'equivalente medievale del dito medio. Si faceva stringendo la mano a pugno e infilando il pollice tra il medio e l'indice. Era un gesto in voga nella Toscana del tempo: in cima alla torre del castello di Carmignano, i pistoiesi avevano eretto due braccia di marmo, con le mani che facevano le fiche a Firenze. E a Prato chi rivolgeva quel gesto a Dio era punito con una multa di dieci lire; se non aveva i soldi, veniva frustato.

Mettere in scena un personaggio, per quanto turpe, che svillaneggia l'Onnipotente è forse il vertice del realismo della poesia di ogni tempo. Ma subito dopo arriva il castigo: da quel momento – scrive Dante – voglio bene alle serpi, perché una si avvolse attorno al collo di Vanni Fucci, impedendogli di parlare ancora; e l'altra gli legò le braccia, bloccandogli ogni movimento. Una scena che ricorda la morte di Laocoonte nell'Eneide. Ma Laocoonte è senza colpe: ha intuito l'inganno del cavallo lasciato sulla spiaggia dai Greci, e viene eliminato dagli dei che volevano la fine di Troia; nella Divina Commedia, invece, il ladro sacrilego viene punito secondo giustizia. Dante assicura di non aver mai visto, in nessuno degli oscuri gironi infernali, uno spirito altrettanto superbo verso Dio; neanche Capaneo, il guerriero che ha sfidato Zeus eppure mantiene nell'aldilà una certa grandezza. Invece Vanni Fucci è confermato nella propria bestialità, e se ne compiace. L'ira di Dante coinvolge anche la sua città: Pistoia farebbe bene a incenerirsi, come Sodoma e Gomorra, visto che oltrepassa nel male il proprio seme (secondo la tradizione, la città era stata fondata dai superstiti dell'esercito sconfitto di Catilina).

Per punire Vanni Fucci accorre anche un centauro, qui distaccato lontano dai colleghi che sorvegliano i violenti. È Caco, diverso dagli altri perché oltre che violento fu pure ladro. (A dire il vero, nell'Eneide Caco è un mostro gigantesco, non un centauro; viene però definito «semihomo»; da qui l'interpretazione di Dante.) La sua comparsa in scena è terribile: sulla groppa ha più bisce di quelle che strisciano nell'intera Maremma; sulla nuca porta un drago dalle ali aperte, che incenerisce chiunque incontri. Virgilio racconta la sua storia. Caco abitava in una grotta sull'Aventino, dove faceva strage di uomini e animali. Ercole, reduce dalla decima fatica, passò da Roma conducendo la mandria sottratta a Gerione. Caco gli rubò quattro tori e quattro giovenche; e per non farsi trovare li trascinò nel suo rifugio tirandoli per la coda, all'indietro. Ercole lo scoprì, e secondo il mito lo strangolò con la forza delle sue braccia. Dante però immagina che Ercole uccida Caco a colpi di clava: gliene diede forse cento, ma quello non arrivò a sentirne nemmeno dieci, perché morì prima.

Ora il poeta si concede un altro saggio di bravura. Racconta due metamorfosi, sfidando apertamente i maestri del genere, Lucano e Ovidio. Lo fa con un gusto per il dettaglio, con una ricerca del particolare degni di un'intera troupe di Hollywood – dallo sceneggiatore all'uomo degli effetti speciali, dall'attore allo stuntman – che stia girando un film sui mutanti. Dante stesso avvisa il lettore: se fatichi a credere quel che dirò, non c'è da meravigliarsi; stento a crederlo anch'io, che l'ho visto di persona.

È uno dei passaggi più complicati della Divina Commedia. Seguirlo richiede una certa fatica. Chi non ha voglia o tempo, può passare al capitolo successivo: quello su Ulisse. Sappia però che si perderebbe qualcosa.

Tre spiriti si avvicinano, e si dicono tra loro: Cianfa dov'è rimasto? All'evidenza, al gruppo manca il quarto. È Cianfa Donati, parente di Corso, il capo dei Neri. Dante si mette il dito davanti alla bocca, per avvisare Virgilio di non parlare: non vuol essere riconosciuto come fiorentino, perché questi dannati provengono dalla sua città, sono tra i ladroni che l'hanno depredata.

Ed ecco che un serpente – o meglio un drago, visto che ha sei zampe – si lancia contro un dannato, e gli si avvinghia. Il drago è in realtà lo stesso Cianfa, che nel frattempo è stato trasformato in rettile: ecco perché era sparito. Con le zampe di mezzo si aggrappa alla pancia dell'altro ladro, con quelle davanti alle braccia, con quelle dietro alle cosce, avvolgendo le reni con la coda; poi lo morde con la bocca aperta, ficcando i denti di sopra in una guancia e i denti di sotto nell'altra. Cianfa si è abbarbicato al compagno come l'edera all'albero. Poi l'animale e l'uomo si incollano, come cera riscaldata, e cambiano colore: come un foglio bruciato diventa bruno, cioè non più bianco e non ancora nero.

Gli altri due dannati guardano la scena con lo stupore spaventato con cui Pinocchio vedrà Lucignolo diventare un asino, e gridano: «Agnel, come ti muti!»; non sei più né due né uno. Il ladro attaccato dal serpente è Agnello dei Brunelleschi, famiglia ghibellina di voltagabbana, che prima si legò ai Bianchi, poi passò ai Neri. Già le due teste sono diventate una sola, e nello stesso volto appaiono entrambe le figure, quella del serpente e quella dell'uomo, tutt'e due perdute. Le braccia, le cosce, le gambe, il ventre, il busto diventano «membra mai viste»: l'immagine perversa pareva due e nessuna.

Ma non è finita. Come il ramarro nei giorni più caldi dell'estate attraversa la strada velocissimo, così appare un serpentello infuocato, nero come un granello di pepe, e morde l'ombelico di un altro dannato; che sbadiglia come chi ha sonno o ha la febbre. Pare la scena di un incantesimo: il peccatore e il rettile si guardano, ed entrambi esalano fumo, uno dalla ferita e l'altro dalla bocca.

Qui Dante sfida i suoi modelli. Taccia Lucano, che nella Pharsalia descrive la misera sorte dei soldati di Pompeo morsi dai serpenti nel deserto: Sabello, che si dissolve in cenere, e Nasidio, che si gonfia sino a perdere ogni sembianza umana. Né Dante si sente inferiore a Ovidio, che nelle Metamorfosi racconta come l'eroe Cadmo sia stato mutato in serpente; e come la ninfa Aretusa, inseguita da Alfeo, sia diventata una fonte, che tuttora rinfresca lo splendido centro antico di Siracusa. Alfeo divenne invece un fiume del Peloponneso, che sfocia nello Ionio e lo attraversa sino a spuntare in Sicilia, per ritrovare la sua amata: infatti Strabone scrive che, quando a Olimpia si compie un sacrificio, a Siracusa le acque della fonte si tingono di rosso; e se in Grecia si getta nel fiume Alfeo una coppa, la si ritrova nel mare della Sicilia.

Mai però Ovidio osò trasmutare due nature una nell'altra, in modo che l'uomo diventasse animale, e l'animale uomo. È proprio quello che Dante sta per fare. Come in un gioco di specchi, in cui ognuno diviene l'altro.

La coda del serpente si divide in due e assume la figura delle gambe che il dannato sta perdendo; i piedi di quest'ultimo si uniscono, le sue cosce si fondono, la sua pelle si fa dura; mentre la pelle dell'altro si fa molle. Le braccia dell'uomo si accorciano, le corte zampe dell'animale si allungano. Poi le zampe di dietro, attorcigliandosi, diventano «lo membro che l'uom cela»; mentre il pene del dannato si biforca e genera due piccole zampe.

Il fumo, artefice dell'incantesimo, fa spuntare il pelo al serpente e rende l'uomo glabro, donando a uno il colore dell'altro. Alla fine della magia, colui che strisciava si leva in piedi, e chi era in piedi striscia; senza mai distogliere lo sguardo l'uno dall'altro, anzi continuando a fissarsi, in un incanto ipnotico.

La metamorfosi si completa con lo scambio dei volti. Il serpente divenuto uomo ritrae il muso appuntito per trasformarlo in una faccia, cui spuntano le orecchie, si forma il naso e si ingrossano le labbra; e all'uomo divenuto serpente le orecchie si ritirano come le corna della lumaca, e la lingua si biforca; mentre l'altra lingua che era biforcuta si richiude.

L'anima mutata in serpe fugge via sibilando, mentre la serpe mutata in uomo «parlando sputa», perché ancora non riesce ad articolare le parole. Poi dice all'altro peccatore, l'unico a essere rimasto uguale a se stesso: «I' vo' che Buoso corra,/ com' ho fatt' io, carpon per questo calle».

L'uomo appena trasformato in animale è Buoso Donati, che in vita aveva ceduto il proprio ufficio pubblico a Francesco Cavalcanti, l'animale trasformato in uomo. Come in vita i due ladri si erano scambiati ruolo, lucrandoci entrambi, così nella bolgia si scambiano natura.

Dante si rende conto di aver messo a dura prova il lettore, e gli dà un segno di solidarietà: davanti a quella scena incantatrice il suo stesso animo è smarrito, i suoi occhi confusi. Non resta che dire un ultimo nome, quello della sola anima ad aver mantenuto forma umana: è Puccio dei Galigai, ghibellino, che il poeta chiama con disprezzo Puccio Sciancato. Su di loro non aggiunge altro. Sono ladri che hanno depredato la loro patria; per questo hanno perso qualsiasi dignità, e si confondono con l'animale più infido e spregevole, il serpente, fin dalla Genesi nemico dell'uomo.

Diciannove
Ulisse come Madame Bovary

Dove Dante trova se stesso e rinuncia alla dolcezza
degli affetti per seguire virtù e conoscenza

Dante è arrivato al culmine del suo viaggio infernale.
Sta per raccontare l'incontro più importante: quello
con se stesso. Meglio; con l'eroe che rappresenta quel
che Dante è stato.

Siccome è consapevole di star scrivendo il canto forse più alto dell'intera Divina Commedia, decide che
deve cominciare con il suo tema preferito: l'invettiva
contro Firenze. Non ha forse appena trovato molti fiorentini tra i ladri?

Ancora oggi a Firenze, sul Palazzo del Bargello – che
custodisce il meraviglioso David di Donatello e quello altrettanto pregevole del Verrocchio, il maestro di
Leonardo – si intravede un'iscrizione del 1255, in un
latino medievale scorretto ma efficace, che tutti al
tempo di Dante avevano letto. È un elogio della città
«que mare, que terra, que totu possidet orbem»; che
raccoglie in sé il mare, la terra, il mondo. Ora il poeta fa sua quell'immagine, ma la capovolge con amara
ironia: «Godi, Fiorenza, poi che se' sì grande/ che per
mare e per terra batti l'ali,/ e per lo 'nferno tuo nome
si spande!». La fama della città è così vasta che arriva
pure all'Inferno. Ma, se davvero i sogni mattutini dicono la verità, presto Firenze proverà i mali che le augu-

rano Prato e le altre rivali. Almeno arrivassero subito, visto che devono arrivare; perché più tardi accadranno, più Dante ne soffrirà.

In effetti, nell'antichità si credeva che essere visitati da un sogno «all'aurora», come scrive Ovidio, significasse conoscere il futuro. Più semplicemente, a tutti accade di svegliarsi, ricadere nel sonno, sognare, e ridestarsi. I sogni sopravvenuti nell'intervallo tra due risvegli sono quelli che ci restano in mente, e inevitabilmente ci parlano. Dante usa la metafora del sogno per esprimere il suo presagio: minata dalla corruzione e dalla guerra civile, la sua città è attesa da un avvenire cupo.

Due secoli dopo, l'invettiva farà arrabbiare Machiavelli. Anch'egli caduto in disgrazia, l'altro scrittore fiorentino di fama universale rimprovererà a Dante di non aver saputo reggere il peso della sfortuna, e di aver denigrato la patria comune, Firenze: «Et non potendo altro fare che infamarla, accusò quella d'ogni vitio, dannò gl'huomini, biasimò il sito, disse male de' costumi et delle legge di lei; et questo fece non solo in una parte della sua cantica, ma in tutta, et diversamente et in diversi modi: tanto l'offese l'ingiuria dell'exilio, tanta vendetta ne desiderava!».

Un giudizio ingeneroso; anche perché Dante non riserva la propria indignazione soltanto ai concittadini. Abbiamo già sentito le invettive contro i bolognesi ruffiani e avidi, i lucchesi corrotti, i pistoiesi ladri; sentiremo quelle contro senesi, pisani, genovesi. L'angoscia per il malcostume e le divisioni non è limitata a Firenze; riguarda la Toscana e l'Italia.

Poi Dante fa un'altra cosa, stavolta inconsueta. Scrive un proemio, un'introduzione, nel pieno della sua opera. Segno che sta per raccontare ai lettori una storia particolarmente importante, che lo riguarda in prima persona, che mette a nudo la sua anima. È una svolta, un cambio di passo.

Il poeta ci avverte che dovrà tenere a freno l'ingegno, affinché non si abbandoni a correre per proprio conto, senza essere guidato dalla virtù; in modo da non sprecare il talento avuto in dono dagli astri o dalla Provvidenza. Dante insomma annuncia che misurerà ogni parola, perché sta per affrontare un momento decisivo non solo della sua produzione letteraria, ma della sua vita interiore.

È la storia di Ulisse. Ma è anche la sua.

Quante lucciole vede d'estate il contadino dopo il crepuscolo, quando «la mosca cede a la zanzara» e lui rimira le vigne e i campi dall'alto della collina, tante sono le fiamme che risplendono nell'ottava bolgia. E come il carro di Elia si alzò in cielo, così veloce che Eliseo non poté seguirlo con gli occhi ma indovinò solo una scia di fuoco, così i peccatori sono racchiusi ognuno in una fiamma, che si muove tanto rapidamente da nasconderli alla vista.

Sono i consiglieri fraudolenti: uomini che usarono la loro grande intelligenza a danno degli altri; e la fiamma della loro genialità è diventata la loro pena e la loro prigione. Il poeta osserva la scena prodigiosa dall'alto di un ponte, con tanta partecipazione che deve aggrapparsi a una pietra sporgente per non cadere di sotto. In particolare è incuriosito da un fuoco che si biforca in due lingue, come accadde alla pira di Eteocle e Polinice: i figli di Edipo che si scontrarono per il trono di Tebe, si uccisero l'un l'altro, e furono posti sullo stesso rogo; ma pure da morti si odiavano tanto che la fiamma si divise in due.

Virgilio chiarisce: lì dentro sono puniti Ulisse e Diomede, che insieme hanno compiuto almeno tre imprese destinate a causare morte e rovina. La più celebre è «l'agguato del caval»: proprio nell'Eneide si racconta di come i Greci costruirono un cavallo di legno, e finsero di offrirlo ai Troiani come dono di pace, dopo aver nascosto nella sua pancia i propri guerrieri più coraggiosi. Anziché seguire i prudenti consigli di Cassandra e Laocoonte, i Troiani trascinarono il cavallo in città; nottetempo i soldati uscirono, aprirono le porte ai compagni e fecero strage dei nemici, tranne Enea e gli altri superstiti destinati a fondare Roma.

Ma prima Ulisse e Diomede avevano escogitato un tranello per convincere Achille a seguirli in guerra. Sua madre, la ninfa Teti, consapevole che se il figlio fosse andato a Troia sarebbe morto, l'aveva nascosto sull'isola di Sciro, travestito da donna. Ulisse si fece passare per un mercante, e si presentò con una cassa di vestiti e gioielli; in fondo però c'erano la spada e l'elmo di Achille. L'unica «donna» a gettarsi sulle armi fu ovviamente lui. A causa di quell'inganno, Deidamia, la principessa di Sciro che di Achille si era innamorata, ancora si strugge per il suo abbandono. La sensibilità di Dante verso le donne è tale che individua la vittima di quell'imbroglio proprio nella ragazza privata dell'uomo amato; e collocherà Deidamia in Purgatorio, accanto a Isifile, la principessa sedotta e tradita da Giasone.

La terza impresa sventurata di Ulisse e Diomede è il furto del Palladio, la statua di Atena custodita sulla rocca di Troia. I Greci seppero da Eleno, figlio del re Priamo, che la città non sarebbe mai caduta fino a quando fosse stata protetta dal simulacro della dea. Allora i due guerrieri si travestirono da mendicanti, uccisero i custodi del Palladio e lo trafugarono. Per questo nell'Eneide Virgilio definisce Ulisse «scaelerum inventor», inventore di delitti (mentre Omero l'aveva chiamato «polymekanos», uomo dalle molte astuzie). Ma ora, per indurlo a raccontare, Virgilio si rivolgerà a lui con parole suadenti.

Dante è in ansia: «Maestro, assai ten priego/ e ripriego, che 'l priego vaglia mille...»; vuole assolutamente sapere quale fine ha fatto Ulisse, come ha perduto la vita dopo i suoi mille viaggi. Nell'Eneide non è scritto. Nell'Odissea Tiresia profetizza che, una volta tornato a Itaca e riconquistato il regno, Ulisse sarebbe ripartito oltre le colonne d'Ercole, sino a una terra dove non si conosce il mare e non si insaporisce il cibo con il sale; per poi tornare in patria ad attendere una morte serena, «ex halos», che significa «dal mare» ma anche «lontano dal mare». Come da tradizione, insomma, l'indovino non chiarisce.

Plinio e altri autori latini raccontano che Ulisse sia annegato nell'oceano Atlantico, dopo aver fondato Lisbona. Seneca scrive di non sapere se abbia fatto naufragio tra l'Italia e la Sicilia, oppure «al di là del mondo a noi conosciuto». Un autore senza nome, noto come lo Pseudo-Apollodoro, racconta un'altra, affascinante storia. Un oracolo predice a Telemaco che Ulisse morirà per mano di suo figlio. Per evitare che la profezia si realizzi, Telemaco si allontana da Itaca, e quando l'eroe torna in patria non lo trova. Ulisse però non sa che nel frattempo Circe gli ha dato un altro figlio, Telegono; il quale, alla ricerca del padre, sbarca proprio sulla sua isola. Ulisse pensa a un attacco nemico, chiama a raccolta i suoi uomini, e cade nello scontro; ovviamente, per mano di Telegono.

Insomma le ipotesi sono molte; ma ora Dante ha l'occasione di farsi raccontare dal protagonista come sia andata davvero. Virgilio lo frena: Ulisse e Diomede sono greci, quindi orgogliosi, sdegnosi; non parleranno con uno sconosciuto poeta fiorentino; ma potrebbero farlo con un celebre autore latino, che li ha eternati nei suoi versi. Così esordisce: «S'io meritai di voi mentre ch'io vissi,/ s'io meritai di voi assai o poco/ quando nel mondo li alti versi scrissi», se insomma la sua Eneide ha saputo onorare la loro memoria, «un di voi», Ulisse, racconti dove sia andato a morire «perduto», come un cavaliere che non fa ritorno.

Immaginiamo la scena. L'Inferno è come se non ci fosse più. L'oscurità è rischiarata da migliaia di fiammelle. Dante tace, quasi trattiene il fiato, nel timore di rovinare l'incanto, di perdersi una sola sillaba. Ulisse, più di duemila anni dopo la sua morte, riprende la parola. «Lo maggior corno de la fiamma antica», la punta più alta della fiammella, comincia a ondeggiare mormorando, simile a un fuoco agitato dal vento; poi, scuotendo qua e là la cima, «come fosse la lingua che parlasse», inizia il racconto.

Di ritorno da Troia, l'eroe era stato trattenuto dalla maga Circe per più di un anno sulla costa del Lazio, presso la città cui Enea darà il nome di Gaeta, in ricordo della sua nutrice, che lì morirà. I due nemici – Ulisse ed Enea, il vincitore e lo sconfitto – sono partiti entrambi da Troia in fiamme; e quasi si sfiorano in terra italiana.

Ma Ulisse non rientra a Itaca, dove lo attendono il figlio Telemaco, il padre Laerte, la moglie Penelope: i tre affetti più profondi dell'uomo. Né la dolcezza del figlio, né la devozione all'anziano genitore, né l'amore dovuto a una sposa che l'aveva atteso tanto, poterono vincere dentro di lui l'ardore di diventare «del mondo esperto/ e de li vizi umani e del valore». «Ma misi me per l'alto mare aperto», racconta Ulisse: solo con una nave e con i pochi compagni che mai l'avevano abbandonato.

E qui noi dobbiamo fermarci un attimo ad apprezzare la fortuna che come italiani ci è data in sorte: poter leggere nella nostra lingua – una lingua modernissima pur se antica di sette secoli – il più straordinario elogio della sete di sapere, della ricerca inesauribile, della grande ambizione che ispirerà le tragedie di Shakespeare, i romanzi di Dostoevskij, i saggi di Freud: conoscere l'animo umano. Ulisse è animato dal coraggio di un Magellano che per primo fa il giro del mondo, degli esploratori perduti alla ricerca del passaggio a Nord-Ovest o delle sorgenti del Nilo, dei navigatori naufragati al Capo di Buona Speranza nel tentativo di circumnavigare l'Africa, o a Capo Horn, tra la Terra del Fuoco e i ghiacci dell'Antartide. Ma il viaggio di Ulisse, come quello di Dante, è anche l'esplorazione della terra più sconosciuta, dell'abisso più profondo: quello che ognuno di noi porta dentro di sé. Ogni uomo custodisce il mistero del male, e il prodigio della salvezza. Il massimo della cattiveria, e il massimo della generosità. Il comandante di Auschwitz che chiude dieci prigionieri in un bunker perché muoiano di fame; e padre Massimiliano Kolbe che chiede e ottiene di entrare in quel bunker al posto di un padre di famiglia.

Ma il viaggio di Ulisse è appena incominciato. Da Gaeta attraversa tutto il Mediterraneo, vedendo «l'isola d'i Sardi» e le altre, forse le Baleari, per arrivare dove la costa europea e quella africana quasi si toccano: a nord la Spagna, a sud il Marocco; di qua Siviglia, di là Ceuta; sino alle colonne che Ercole pose come segnale, a indicare i confini del mondo conosciuto, «acciò che l'uom più oltre non si metta». Il mito racconta infatti che Ercole avrebbe inciso sulle colonne – identificate con il monte Calpe in Europa e il monte Abila in Africa – la scritta «non plus ultra», non più oltre; Plus Ultra è oggi il motto del re di Spagna.

I compagni erano ormai «vecchi e tardi», anziani e lenti. Ma l'eroe riesce a rianimarli, con un discorso breve e formidabile. «O frati», fratelli, che attraverso centomila pericoli siete giunti all'estremo occidente, ora che ci resta poco tempo da vivere, non vogliate negarvi l'ultima esperienza, l'estrema missione: andare oltre il sole, nel «mondo sanza gente». E qui Ulisse pronuncia le parole fatidiche, anzi Dante scrive i versi indimenticabili: «Considerate la vostra semenza:/ fatti non foste a viver come bruti,/ ma per seguir virtute e canoscenza».

Non è l'eroe greco che sta parlando; è il poeta. Se Flaubert diceva «Madame Bovary sono io», allora

Ulisse è Dante. È l'uomo di pensiero – l'opposto del bruto, dell'animale non razionale – che mette in gioco se stesso per seguire la virtù e la conoscenza; e non si accontenta mai di quello che sa e di ciò che è diventato, perché è consapevole di poter sapere di più e di poter diventare migliore.

Queste parole segnano il superamento del Medioevo e l'alba dell'era moderna. Perché la modernità non nasce dalla sapienza; nasce dalla ricerca. Dalla coscienza di essere ignoranti. L'uomo medievale pensava di sapere già tutto, perché tutto era già scritto nella Bibbia, al più in Aristotele e in Tolomeo. L'uomo rinascimentale si mette in viaggio, cerca, sperimenta, esplora. All'epoca di Dante erano già cominciate le spedizioni oltre le colonne d'Ercole, e il poeta lo sapeva. Certo, non era ancora diffusa l'idea che navigando verso occidente si potesse arrivare a oriente, tornando là da dove si era partiti. Dante è pur sempre figlio del suo tempo. Ed è convinto che l'uomo da solo non possa attingere il sapere e completarsi, senza Dio. Per Dante la fede è anche una forma di umiltà, un modo di abbassare il proprio orgoglio per raggiungere la conoscenza perfetta, la salvezza immortale. L'Ulisse dantesco però rappresenta il culmine del coraggio non solo dell'uomo dell'antichità classica, ma di chiunque si metta alla ricerca di qualcosa che vada oltre se stesso.

La reazione dei compagni di Ulisse è grandiosa. È una scena quasi cinematografica: come in quei film in cui i marinai o i soldati esplodono in un'ovazione alle parole del comandante. È come quando l'equipaggio di Moby Dick, o la ciurma de «La tempesta perfetta», si lasciano travolgere dall'entusiasmo e vanno incontro al pericolo e all'ignoto. I compagni di Ulisse somigliano ai guerrieri che Alessandro Magno conduce in terre inesplorate, che Spartaco incita alla ribellione contro i padroni romani, che William Wallace in Braveheart porta a una morte vittoriosa contro il potente esercito inglese.

I suoi uomini sono tanto desiderosi di proseguire, che Ulisse a stento li potrebbe trattenere; «e volta nostra poppa nel mattino,/ de' remi facemmo ali al folle volo»; messa la prua verso occidente, voltando le spalle al mondo, agli affetti, alle abitudini, alle cose risapute, i compagni si gettano sui remi che diventano ali, mentre la nave temeraria sembra volare sulle acque.

La rotta piega a sinistra, a sudovest, oltre l'equatore. Appaiono una a una le stelle dell'altro polo, mentre all'orizzonte sparisce il cielo del nostro emisfero. Per cinque volte si è riaccesa, e per cinque volte si è oscurata la luce del sole sulla faccia inferiore della luna, quella rivolta verso la Terra; perché Dante conosce l'astronomia, e sa che la luna non brilla di luce propria, ma riflette i raggi del sole. Sono quindi passati cinque mesi; e pare di vedere i marinai – abituati a misurare il tempo con le fasi lunari – scrutare i segni del cielo; quando ecco che appare una montagna, «bruna per la distanza», alta più di qualsiasi altra che Ulisse abbia mai veduto. È la montagna del Purgatorio, che secondo Dante sorge agli antipodi di Gerusalemme.

«Noi ci allegrammo, e tosto tornò in pianto»; i Greci esultano alla vista di una nuova terra, di un nuovo mondo; ma la gioia si muta in spavento e disperazione, poiché dalla «nova terra» nasce un turbine, che investe la prua, e fa girare la nave per tre volte, tra le acque che le fanno gorgo intorno. Alla quarta volta il turbine solleva la poppa, mentre la prua si inabissa, come Dio volle; «infin che 'l mar fu sovra noi richiuso».

Ma Ulisse è davvero colpevole? Oppure no? I commentatori ne discutono da secoli. Il suo viaggio è una sfida a Dio, che lo punisce con la morte? O è l'impresa sfortunata di un eroe della conoscenza, il culmine del mondo antico, cui non manca la virtù ma solo la grazia del cristianesimo?

Gli innocentisti ricordano il suo discorso ai compagni, elogio delle qualità dell'uomo. I colpevolisti riconoscono in Ulisse i segni della *hybris*, la ribellione alla volontà divina, la pretesa di conoscere le cose ultime solo grazie alla ragione, senza la fede; come Adamo che mangiò il frutto dell'albero della conoscenza del bene e del male, perdendo l'innocenza senza conquistare la saggezza.

Non c'è dubbio che Ulisse incarni la sete di sapere in cui Dante si riconosce. Dante però non va verso il naufragio. Riuscirà a raggiungere la montagna del Purgatorio, e a salire sino alla vetta, dove vedrà il giardino dell'Eden; e da lì raggiungerà il Paradiso, come attraversando un mare mai solcato prima da nessuno: «L'acqua ch'io prendo già mai non si corse». Il suo viaggio è folle come quello di Ulisse, inaudito, mai tentato; ma non è temerario né sacrilego, è voluto da Dio, alla cui misericordia e onniscienza il poeta si affida.

Tutto vero. Ma la sete di infinito dell'Ulisse dantesco continua da allora a ispirare il genio degli uomini. Il capolavoro di Stanley Kubrick, forse il più grande film della storia del cinema, si intitola «2001: Odissea nello spazio»; ed è il tentativo ambizioso di raccontare un viaggio nel cosmo e nel tempo, alla ricerca del mistero della vita e dell'intelligenza.

Non a caso, generazioni di scrittori si sono chiesti: che fine ha fatto Ulisse? Affogò davvero nell'oceano, e ora langue imprigionato in una fiamma infernale? Giovanni Pascoli, ne «L'ultimo viaggio», immagina che dieci anni dopo il ritorno a Itaca l'eroe riprenda il mare. È un poema in ventiquattro canti, come i libri dell'Odissea. Ulisse non si avventura nell'oceano; ripercorre a ritroso la rotta descritta da Omero. La sua non è un'odissea nel futuro, ma nella memoria. Le cose però non sono più le stesse, l'eroe non ritrova Polifemo, non rivede Circe, le sue avventure sembrano solo il frutto della sua fantasia; e le Sirene tacciono, non cantano più, sono diventate scogli contro cui si infrange la sua nave. Il corpo di Ulisse finirà tra le braccia di Calipso, la donna che l'ha amato con la più accesa passione, e che gli darà sepoltura.

Valerio Massimo Manfredi immagina, nel suo romanzo «L'oracolo», che Ulisse sia stato condannato dal re del mare Poseidone – dopo aver accecato Polifemo, suo figlio – a errare per l'eternità. Manfredi racconta che, nella Grecia della dittatura dei colonnelli, Ulisse ha assunto l'identità dell'ammiraglio Bogdanos, e ritrova il vaso d'oro con la profezia di Tiresia sulle sue peregrinazioni: lo fonde, ne fa una maschera funeraria, e può finalmente morire.

Nel capolavoro di James Joyce, Ulisse è Leopold

Bloom, un ebreo irlandese. Il suo viaggio dura una sola giornata, il 16 giugno 1904 (la data in cui Nora, la futura moglie di Joyce, capì di essere innamorata di lui). Le terre visitate da Ulisse, metafora del mondo, sono sostituite nel romanzo dai personaggi incontrati da Leopold Bloom. Polifemo è un cristiano antisemita conosciuto in un pub, che si infuria sentendosi ricordare che Gesù era ebreo; e anziché i massi tira addosso al protagonista una scatola di biscotti (mancandolo, come il ciclope manca Ulisse). L'isola di Circe è un bordello, dove Bloom e l'amico Stephen Dedalus (Telemaco) hanno allucinazioni e sognano familiari defunti. Penelope è Molly, la moglie di Leopold Bloom, che a differenza della vera Penelope è infedele; mentre è distesa nel letto con il marito ripensa al piacere preso dal corpo dell'amante, e fa il confronto tra i due. La nuova Odissea è il naufragio dell'uomo moderno. Joyce del resto scrive Ulysses mentre infuria la Grande Guerra, e rivendica di aver «inserito nella trama così tanti enigmi e puzzle da tenere gli studiosi impegnati per secoli a discutere su quello che volevo dire»: obiettivo che Dante ha conseguito con una lingua meno ostica e uno stile più generoso verso il lettore.

Come Dante, anche Umberto Saba si è riconosciuto in Ulisse, nel suo desiderio di viaggiare e di sapere, e ha intitolato all'eroe greco la sua poesia forse più bella:

Nella mia giovinezza ho navigato
lungo le coste dalmate. Isolotti
a fior d'onda emergevano, ove raro
un uccello sostava intento a prede,

coperti d'alghe, scivolosi, al sole
belli come smeraldi. Quando l'alta
marea e la notte li annullava, vele
sottovento sbandavano più al largo,
per fuggirne l'insidia. Oggi il mio regno
è quella terra di nessuno. Il porto
accende ad altri i suoi lumi; me al largo
sospinge ancora il non domato spirito,
e della vita il doloroso amore.

Francesco Guccini ha dedicato a Odysseus, il nome greco di Ulisse, una canzone che è quasi una parafrasi del testo dantesco: «E diedi un volto a quelle mie chimere/ le navi costruii di forma ardita,/ concavi navi dalle vele nere/ e nel mare cambiò quella mia vita...». Ma sempre Guccini, cantando di un altro grande viaggiatore, Gulliver, ammonisce: «Di tutte le sue vite vagabondate al sole/ restavan vuoti gusci di parole»; perché «da tempo e mare non si impara niente».

Meno di due secoli dopo la morte di Dante, un'altra nave, anzi tre, si metteranno sulla rotta di Ulisse, al di là delle colonne d'Ercole, oltre il sole, nel «mondo sanza gente». Un italiano, un genovese, sarà al comando. Uno studioso fiorentino, Paolo dal Pozzo Toscanelli, l'ha convinto che la Terra è rotonda, una palla da circumnavigare, e partendo verso occidente si può davvero arrivare a oriente. Sfrutterà gli alisei, venti misteriosi che spirano sempre da est a ovest: lui li conosce e li saprà domare.

Il suo viaggio non durerà cinque mesi – come quello di Ulisse –, ma poco più di due. Il 3 agosto 1492 le caravelle salperanno da Palos, senza sapere che cosa le attende. Davanti, soltanto acqua. Passate le Azzorre, si apre un oceano che nessuno ha mai solcato. La prua sarà sempre rivolta a ovest, ogni sera il tramonto ferirà gli occhi. Tutto potrà accadere: un naufragio, l'agguato di un mostro marino, l'arrivo di un turbine come quello descritto da Dante.

Non sappiamo se Cristoforo Colombo avesse letto la Divina Commedia. Probabilmente sì. Di sicuro dovrà sedare un ammutinamento; e ingannare i compagni, per tranquillizzarli. Dovrà promettere di tornare indietro, se non si avvisterà terra entro tre, massimo quattro giorni. Truccare il diario di bordo, facendo credere di aver percorso una distanza inferiore, per non spaventare i marinai. Convincerli che il tappeto di alghe tropicali avvistato sulle onde indica che la terraferma non può essere lontana.

Se davvero i suoi calcoli fossero stati esatti, Colombo non sarebbe mai arrivato a destinazione: la Terra è molto più grande di quanto Toscanelli avesse immaginato. Per sua fortuna, lungo la rotta c'era un continente che nessuno conosceva, e dove neppure lui capirà di essere arrivato. Oggi porta il nome di un altro fiorentino, Amerigo Vespucci.

Colombo non avrà una fine gloriosa. Come Dante, anch'egli sarà perseguitato. Tornerà dall'America in catene, sarà gettato in carcere, morirà in miseria. Dopo di lui verranno altri uomini, conquistatori spietati, che si macchieranno di crimini e genocidi. Ma nessuno potrà mai togliere al genovese l'emozione di aver avvistato la terra, alle due del mattino del 12 ottobre, di aver tro-

Venti

Dante e i condottieri

Dove neanche il Papa può dare l'assoluzione, ma basta
una lacrimuccia a sconfiggere il diavolo

Il racconto di Ulisse è finito. La fiamma che lo imprigiona ha smesso di oscillare; ora è dritta, calma. Virgilio
saluta l'eroe. L'atmosfera incantata sembra sul punto
di dissolversi. Ma un'altra fiamma ha ascoltato il congedo del «dolce poeta», ha riconosciuto la sua parlata lombarda, dell'Italia settentrionale, e cerca di rivol-
gergli la parola.

Come Ulisse, anche questo nuovo personaggio al-
l'inizio non riesce a esprimersi: dal fuoco esce solo un
mormorio. Per dare l'idea di quel rumore misterioso, Dante cita una macchina da tortura, il «bue sicilia-
no»: il toro di rame del crudele tiranno di Agrigento,
Falaride. I condannati venivano rinchiusi nell'interno arroventato, e le loro grida di dolore uscivano dalla bocca del bue, che così sembrava vivo. Il primo a
sperimentare il tormento fu il suo stesso inventore,
un fonditore di metalli, l'ateniese Perillo; cosa che a
Dante appare giusta.

Come le urla del suppliziato chiuso nel toro parevano muggiti, così le parole dell'anima prigioniera della
fiamma si trasformano nel crepitio tipico del fuoco. Ma
quando trovano la strada e cominciano a uscire dal-

la punta, «dandole quel guizzo», imprimendole la vibrazione con cui la lingua articola i suoni, allora i due poeti possono ascoltare il racconto.

Il dannato crede che Virgilio sia appena arrivato nell'Inferno da «quella dolce terra latina», e lo prega di fermarsi un poco a parlare con lui: «Vedi che non incresce a me, e ardo!»; guarda che a me non pesa, eppure brucio. L'anima senza nome chiede notizie dei suoi compatrioti romagnoli: vuole sapere se «han pace o guerra» coloro che vivono tra Urbino e i monti da cui nasce il Tevere.

Virgilio tocca Dante, e gli dice: «Parla tu; questi è latino», cioè italiano. E Dante «avea già pronta la risposta»; perché l'argomento dell'Italia e delle sue divisioni politiche lo appassiona; in particolare se si parla della Romagna, divenuta un po' la sua seconda patria da quando è stato accolto a Forlì, ben prima di stabilirsi a Ravenna (dove morirà e sarà sepolto). Così fa una rassegna vorticosa, città per città, di quel che sta accadendo. Dimostrando di essere – oltre a molte altre cose, molto più importanti – anche un grande cronista.

«Ravenna sta come stata è molt' anni»: sarebbe un attacco formidabile per un grande reportage, tipo quello di Giorgio Bocca da Vigevano: «Fare soldi, per fare soldi, per fare soldi: se esistono altre prospettive, chiedo scusa, non le ho viste».

Ravenna, sintetizza Dante, è sempre in mano alla stessa famiglia: «L'aguglia da Polenta la si cova», la cova l'aquila dei Da Polenta, che con le sue ali copre, cioè domina, anche Cervia. Signore di Ravenna è Guido il

Vecchio, padre di Francesca: l'eroina dell'amore perduto che abbiamo incontrato tra i lussuriosi, ancora
avvinta a Paolo.

Forlì, la roccaforte ghibellina che resse il lungo assedio delle milizie guelfe, facendo strage dei loro alleati francesi, si ritrova sotto gli artigli del leone verde, stemma degli Ordelaffi. In particolare comanda
Scarpetta degli Ordelaffi, che nel 1303 diventa capitano generale dei Bianchi fuoriusciti da Firenze: è allora che incontra Dante e gli offre protezione.

La città messa peggio è Rimini. Nel 1295 l'ha presa
Malatesta il Vecchio da Verrucchio; gli succederà il figlio Malatestino. Dante li chiama «mastini» per la loro
ferocia; e «fan d'i denti succhio». L'espressione significa che adoperano i denti come succhielli, punte che
penetrano nella carne come gli incisivi di un cane; ma
restituisce anche l'idea di crudeli tiranni che succhia-
no il sangue dei nemici. Quando i ghibellini hanno lasciato Rimini, è rimasto in città soltanto uno di loro,
Montagna dei Parcitati: i Malatesta l'hanno catturato e ucciso. Sarà forse un caso; ma in due versi Dante
cita il Mastino e la Montagna: nomi che saranno ripre-
si da George R.R. Martin, lo scrittore che ha ispirato Il
Trono di Spade, per indicare due fratelli, due gigante-
schi e brutali guerrieri. Non sappiamo se Martin abbia letto Dante (di sicuro lo conosce, come vedremo),
o se sia una bizzarra coincidenza; in ogni caso è una
conferma della vitalità delle parole della Commedia,
che dopo settecento anni ancora suonano, suggerisco-
no, evocano.

Dante continua il reportage dalla Romagna. Avverte che al momento non c'è una guerra dichiarata, ma
ogni despota la brama nel proprio cuore. La città del

fiume Lamone, Faenza, e quella del Santerno, Imola, sono governate dal leone azzurro in campo bianco. È lo stemma di Maghinardo dei Pagani, signore delle terre che si estendono dal Casentino al confine con l'Emilia. Di lui Dante dice che d'estate sta con i guelfi e d'inverno con i ghibellini; questo potrebbe significare che a Sud, nei suoi possedimenti toscani, Maghinardo appoggia il partito del Papa, e a Nord, nelle sue terre romagnole, sostiene il partito dell'imperatore; ma potrebbe più semplicemente voler dire che cambia idea a ogni stagione.

Infine la città bagnata dal fiume Savio, Cesena, vive tra la tirannia e la libertà, proprio come sorge tra la pianura e la montagna. A Cesena infatti non c'era una signoria, una famiglia egemone; comandava Galasso da Montefeltro, che però rivestiva le cariche comunali di podestà e capitano del popolo.

Adesso che ha fatto all'anima romagnola una perfetta disamina della sua terra, il poeta vuole conoscere il suo nome. La fiamma prima ruggisce, poi comincia a dimenarsi, «di qua, di là», come già aveva fatto Ulisse; quindi finalmente parla, e racconta la sua vicenda. Però cade in errore: pensa che Dante sia dannato, non capisce che tornerà sulla terra e potrà riferire quel che ha sentito; per questo gli risponde «sanza tema d'infamia». All'evidenza, sta per svelare una storia che nel mondo ancora non si conosce. E qui Dante – che è ovviamente molto altro: poeta, filosofo, teologo… – si comporta di nuovo da perfetto cronista. Non interrompe l'intervistato, non lo avverte dell'equivoco; lo lascia parlare, deciso a scrivere tutto.

«Io fui uom d'arme, e poi fui cordigliero» dice di sé. È Guido da Montefeltro, signore di Urbino: grande condottiero, che alla fine della vita «prese il cordone», cioè divenne frate francescano e si ritirò in convento. Guido, cugino del signore di Cesena, è stato l'uomo forte della Romagna. Ha salvato lui Forlì dall'assedio, con uno stratagemma: è uscito per una sortita, ha fatto strage dei fanti guelfi, e quando è rientrato dentro le mura ha massacrato i cavalieri francesi che erano penetrati in città.

A Dante, Guido racconta che – quando la sua anima era ancora unita alle ossa e alla carne – le sue opere «non furon leonine, ma di volpe». Il leone e la volpe: la stessa metafora che userà Machiavelli nel Principe. Più che con la forza, Guido da Montefeltro combatteva con l'astuzia. Conobbe tutti gli «accorgimenti e le coperte vie», le vie nascoste; e la fama della sua scaltrezza giunse a ogni angolo della Terra.

Ma quando arrivò all'età in cui ognuno dovrebbe «calar le vele e raccoglier le sarte», insomma ritirarsi, le cose che prima gli piacevano, gli dispiacquero; e il condottiero si arrese a Dio, pentito e confessato. Torna in mente una deliziosa scena del Cyrano de Bergerac: De Guiche, il nemico di Cyrano, l'aristocratico prepotente che voleva portargli via Rossana, ormai anziano chiede perdono a lei, e vorrebbe stringere la mano a lui; perché

quando la vita suona l'ora della raccolta
si sentono, senza aver fatto troppo di male,
mille piccoli disgusti di sé stesso, il cui totale
non fa un rimorso pieno, ma un disagio oscuro.

Anch'egli disgustato da se stesso, Guido da Montefeltro si ritirò in convento, credendo di fare ammenda, di essere perdonato per i suoi peccati. E così sarebbe accaduto, se il «gran prete» – il Papa, «a cui mal prenda!» – non l'avesse fatto ricadere nelle vecchie colpe.

Pure Dante qui fa ammenda, riconosce di essersi sbagliato. Nel Convivio ha esaltato la conversione del condottiero, l'ha definito «lo nobilissimo nostro latino Guido montefeltrano», l'ha paragonato a Lancillotto che terminò una vita guerriera da penitente. Non sapeva quel che era accaduto dopo.

Il Papa tentatore è sempre lui: il famigerato Bonifacio VIII. Guido lo chiama «lo principe d'i novi Farisei», il re degli ipocriti. Bonifacio è in guerra, ma non con i Saraceni o con i Giudei; «ciascun suo nimico era cristiano». Nessuno tra i suoi avversari si era posto al servizio dei musulmani; il che avrebbe giustificato la guerra che il Papa stava – ingiustamente – combattendo contro di loro. Nessuno era stato mercante nella terra del sultano, nessuno aveva aiutato gli infedeli a prendere Acri, l'ultimo presidio latino in Terra Santa, caduto nel 1291 con una grande strage che aveva commosso e indignato l'Europa.

I nemici del Papa sono i Colonna, in particolare i cardinali Piero e Jacopo, che non hanno considerato valida l'abdicazione di Celestino V e quindi l'elezione di Bonifacio. Lui li ha scomunicati, ma loro hanno rifiutato di arrendersi e si sono chiusi nella roccaforte di Palestrina. Non riuscendo a prenderla con la forza, il Pontefice si è rivolto a Guido da Montefeltro.

Non ha avuto rispetto per i propri doveri di sommo Pontefice, né per il saio preso dal guerriero convertito, per quel cordone che una volta rendeva più magri – a causa delle astinenze – coloro che se ne cingevano (qui Dante tira una stoccata pure ai suoi amati francescani, un tempo più virtuosi). Come l'imperatore romano Costantino si era rivolto a Papa Silvestro, nascosto in una grotta per sfuggire alle persecuzioni, e l'aveva implorato di risanarlo dalla lebbra; così Bonifacio VIII va nel convento di Guido per farsi guarire dalla «superba febbre», dalla sua smania di dominio. Il Papa gli chiede consiglio su come piegare i Colonna. Guido tace, «perché le sue parole parver ebbre»: Bonifacio appare ubriaco di potere. Ma siccome è astuto, il Papa intuisce il turbamento di Guido da Montefeltro. Così gli promette di assolverlo fin da ora, se gli spiegherà come radere al suolo Palestrina. «Lo ciel poss' io serrare e diserrare», chiudere e aprire, condannando e salvando, ammonisce Bonifacio; perché le chiavi che ha ereditato dal suo predecessore Celestino sono due. E qui tocca il culmine della perfidia: sia perché è stato lui a convincere Celestino ad abdicare, sia perché ora sta minacciando Guido: il Papa può impartire l'assoluzione ma anche la scomunica, comminando così una condanna eterna.

Sentendosi in pericolo, Guido torna il calcolatore che è stato: tacere sarebbe un rischio più grande che collaborare. Così suggerisce a Bonifacio di promettere molto, e mantener poco. Il Papa seguirà il consiglio: assicurerà ai Colonna pace e perdono, ottenendo così la resa di Palestrina; ma poi la farà radere al suolo, e i cardinali ribelli dovranno cercare rifugio in Francia.

Fin qui, nulla di nuovo: già sappiamo che Dante disprezza Bonifacio VIII. Ma ora si sta per combattere un duello del tutto inedito. In palio c'è l'anima del dannato; e si capirà che è il cuore dell'uomo, non il potere della Chiesa, a salvare o a dannare.

Quando Guido muore, san Francesco viene a prenderlo, come sempre fa con i suoi frati; ed è dolcissima questa immagine, del santo che nell'ora fatale è presente accanto ai suoi figli. Ma interviene «un d'i neri cherubini», un demonio, che dice: «Non mi far torto»; costui deve venir giù all'Inferno, «tra ' miei meschini», tra i miei schiavi. Il diavolo conosce il bene e il male; sa quando deve cedere il passo a Dio; ma sa anche quando può rivendicare il proprio diritto. E tiene una lezione di teologia e di logica: «Assolver non si può chi non si pente»; non ci si può pentire e insieme voler peccare, per il principio di non contraddizione.

Guido si riscuote, come in quei risvegli improvvisi in cui realizziamo che il cattivo sogno che ci ha visitati è proprio vero. E il diavolo vincitore non rinuncia a una battuta sarcastica: «Forse tu non pensavi ch'io löico fossi!», non credevi che io conoscessi la dottrina e la filosofia, compresa la logica aristotelica.

L'anima viene condotta davanti a Minosse, che si cinge per otto volte con la coda; e per la gran rabbia il giudice infernale, che rappresenta la coscienza ed è quindi lo specchio dello spirito dannato, si morde quella coda con cui ha appena mandato Guido nell'ottavo cerchio, tra coloro che sono chiusi dentro un fuoco.

Come Ulisse, anche il condottiero è perduto, a causa della sua astuzia malvagia, e di quell'ultimo consiglio inteso al male; e si rode per il rimorso e il rancore, «torcendo e dibattendo» la sua fiamma. L'ingannatore fu ingannato dal Papa; e ora si inganna per una seconda volta, raccontando a Dante una storia che sperava restasse soltanto sua.

Dopo aver demolito i Pontefici del suo tempo, il poeta demolisce anche una parte del loro potere. Non mette in discussione l'autorità della Chiesa. Ma il sacramento da solo non basta: non è il rito che salva; è il pentimento, è il cuore. Neppure il Papa può garantire la salvezza, dare un'assoluzione non meritata.

Nel Purgatorio Dante troverà Manfredi – «biondo era e bello e di gentile aspetto» –, re di Sicilia, figlio di Federico II. Per tutta la vita Manfredi ha combattuto contro lo Stato della Chiesa. È morto in battaglia, a Benevento, per mano dei francesi di Carlo d'Angiò, chiamato da Papa Clemente V a impadronirsi del Mezzogiorno d'Italia. Siccome è stato più volte scomunicato, tutti pensano che Manfredi sia all'Inferno. Ma prima di morire si è abbandonato a Dio, ha chiesto perdono, e anche se non ha avuto l'assoluzione che l'avrebbe condotto in Paradiso, è pur sempre sulla via della salvezza. E a Dante dice:

Poscia ch'io ebbi rotta la persona
di due punte mortali, io mi rendei,
piangendo, a quei che volontier perdona.
Orribil furon li peccati miei;
ma la bontà infinita ha sì gran braccia,
che prende ciò che si rivolge a lei.

Per rispetto del suo valore, i cavalieri francesi avevano seppellito Manfredi sul posto, sotto una montagna di sassi. Ma il vescovo di Cosenza, su ordine del Papa, riesumò le ossa, e «a lume spento», di notte e senza neppure una torcia, come per non lasciare testimonianze né tracce, le disperse in un luogo ignoto, presso il fiume Liri: «Or le bagna la pioggia e move il vento» lamenta Manfredi. Ma nessuna maledizione, neppure quella del Pontefice, può distruggere la speranza, può far perdere «l'etterno amore» di Dio.

Anche il figlio di Guido da Montefeltro, Bonconte, fu uomo d'armi: comandante dei ghibellini di Arezzo. Dante se lo trovò di fronte a Campaldino. Bonconte cadde in combattimento, ma il suo corpo non fu mai rinvenuto. Nel Purgatorio sarà lui stesso a raccontare al poeta cosa sia successo. Ferito alla gola, il condottiero si trascinò là dove il torrente Archiano sfocia nell'Arno. Qui, sentendo la morte arrivare, pianse, invocò la Vergine Maria, e intrecciò le braccia sul petto a formare una croce. Quel gesto di pentimento gli valse la salvezza.

Quando il diavolo venne a prenderlo, e se lo vide sottrarre da un angelo, per la rabbia – perdere un'anima «per una lagrimetta»! – scatenò un temporale, che trascinò via il corpo, lo precipitò nell'Arno, lo fece rotolare tra le rive e il fondale, sciolse la croce delle sue braccia, e infine lo seppellì sotto i detriti; e in effetti dopo la battaglia la piana di Campaldino era stata spazzata da un'alluvione che impressionò molto i superstiti, tra cui Dante. Ma l'anima di Bonconte, grazie a quel pentimento in punto di morte, era salva. A conferma che il rapporto con Dio non si gioca in un confessionale o in una chiesa, ma dentro di noi.

Oggi il nome dei Montefeltro evoca uno dei più bei ritratti del Rinascimento: il volto grifagno di Federico, dipinto da Piero della Francesca. Il condottiero – con il naso mutilato da una palla d'arma da fuoco – ha il profilo di un uccello rapace; ma la sua immagine è addolcita da uno stupendo sfondo di colline verdi, un paesaggio della mente, dove il lavoro secolare dell'uomo asseconda e impreziosisce la natura. Sono le colline marchigiane che si vedono dal Palazzo Ducale di Urbino, segnato dallo slancio delle due torri, da cui si aprono squarci infiniti, da una parte verso la Romagna, dall'altra verso la Toscana.

Il ritratto fu dimenticato per secoli; a lungo fu creduto un'allegoria di Petrarca e della sua amata Laura. Accanto a Federico da Montefeltro, Piero ha infatti dipinto una donna: la sua sposa, Battista Sforza. Pare una signora matura; eppure morì a ventisei anni, pochi mesi dopo aver dato alla luce il figlio Guidobaldo.

Una sorte difficile attendeva il ragazzo: Guidobaldo da Montefeltro dovette cedere Urbino a Cesare Borgia, il fratello di Lucrezia, il figlio di Papa Alessandro VI. Uomo coraggioso e spietato, Cesare affascinò Machiavelli, che modellò su di lui l'idea del Principe; ma non era l'unificatore d'Italia, era solo il figliolo del Papa. Morto Alessandro Borgia, sarà un altro Pontefice, Giulio II, a far imprigionare Cesare e a restituire la città a Guidobaldo; che però morirà di gotta a trentasei anni, senza aver avuto figli. Con lui si estingue la casata dei Montefeltro.

Resta il miracolo di Urbino, questo borgo di pietra e mattoni sospeso tra il mare e le colline, percorso da vicoli che si chiamano via Volta della Morte e via Balcone della Vita. Qui nella primavera del 1483 nacque il più grande pittore del suo tempo, Raffaello, nove anni prima della morte di Piero della Francesca, spirato il 12 ottobre 1492: il giorno in cui Cristoforo Colombo sbarcava nel Nuovo Mondo.

Oggi il ritratto di Federico da Montefeltro è agli Uffizi di Firenze. Ma il Palazzo Ducale di Urbino custodisce un altro capolavoro di Piero, la Flagellazione di Cristo. Un quadro meraviglioso, un «sogno matematico» come lo definì il critico Roberto Longhi: rigoroso nelle proporzioni, onirico nelle forme e nella luce; un'opera senza tempo, piena di simboli, che potrebbe essere stata dipinta ieri. Per fortuna non piacque all'inviato della regina Vittoria, che a metà dell'Ottocento saccheggiò l'Italia alla ricerca di tesori per i musei di Londra, e portò alla National Gallery un'altra opera straordinaria di Piero, il Battesimo di Cristo. Perplesso di fronte alle «caviglie grosse» e alle «narici dilatate» dei personaggi della Flagellazione, uno dei quali dovrebbe essere proprio Guidobaldo da Montefeltro, l'«esperto» inglese preferì lasciarla a Urbino, e a generazioni di visitatori, sconosciuti e illustri.

Nei suoi ultimi anni, Andrea Camilleri era diventato cieco; ma la notte, quando non riusciva a dormire ed era visitato dai «pensieri tinti», insomma dalla paura della morte, si divertiva a ricomporre nella mente i colori e le luci del quadro che amava di più: la Flagellazione di Piero della Francesca.

Ventuno

Maometto all'Inferno

Dove Dante fa arrabbiare i musulmani,
anticipa Stephen King e ispira Fernando Pessoa

Lasciata l'atmosfera magica dell'ottava bolgia – il buio
rischiarato da migliaia di fiammelle –, Dante si trova
davanti alla scena di un terrificante massacro. Talmente spaventoso che nessuna lingua potrebbe raccontar-
lo, nessuna mente riuscirebbe a comprenderlo.

Se si radunassero tutte le vittime di tutte le guerre
che hanno insanguinato «la fortunata terra di Puglia»,
e ogni vittima mostrasse le membra ferite e quelle tron-
cate, il terribile spettacolo sarebbe nulla di fronte al sangue e alle piaghe racchiusi nella nona bolgia.

Ora Dante ci guida in una vorticosa rassegna della
storia d'Italia. Densa, com'è nel suo stile; ma vale la
pena seguirlo. Anche perché, dalla descrizione delle
ferite e degli scontri, si deduce che il poeta è stato anche un uomo di guerra, ha conosciuto i campi di battaglia, ha visto i cadaveri dei compagni e dei nemici; e non c'è nulla come una guerra che dia spessore a
una biografia.

La «terra di Puglia» indica in genere il Sud, come la
Lombardia il Nord. Il poeta evoca le battaglie letterarie e quelle reali: la lunga lotta dei Troiani, raccontata
nell'Eneide, per conquistarsi una patria nel Lazio; e il

massacro di Canne, dove Annibale aveva raccolto tre moggia di anelli d'oro tolti ai cavalieri e senatori romani uccisi. Il moggio era un cilindro di legno che serviva a misurare il frumento, e poteva contenere quasi nove litri; è stato calcolato che Annibale avesse mandato a Cartagine cinquanta chili d'oro (e chissà quanti ne aveva trattenuti per sé).

Dante cita poi le guerre del suo tempo per il controllo dell'Italia meridionale. Il Papa non poteva allargare il proprio regno alle terre a sud di Roma; però era intenzionato a impedire che finissero nelle mani di un sovrano ostile: un infedele o – peggio ancora – l'imperatore germanico. Così il Pontefice chiamò i Normanni di Roberto il Guiscardo, che combatté contro i Saraceni; per questo Dante lo collocherà in Paradiso, tra i difensori della fede. Poi la dinastia normanna si unì a quella sveva, che controllava l'Impero; e il tedesco Federico II si innamorò del Sud, dove fece costruire i suoi castelli.

Ma dopo la sua morte il Papa chiamò in Italia gli Angioini, ramo cadetto della famiglia reale di Francia, per fare guerra agli eredi di Federico II. Gli italiani si divisero: i guelfi appoggiarono Carlo d'Angiò; i ghibellini si schierarono con il figlio naturale dell'imperatore, Manfredi. Dante evoca il tradimento di Ceprano, dove i baroni pugliesi alleati di Manfredi lasciarono passare i francesi di Carlo, preparando il terreno alla carneficina di Benevento: la grande vittoria guelfa, che segnò la cacciata delle forze imperiali dal Mezzogiorno d'Italia (e dei ghibellini da molte città, tra cui Firenze). Infine, l'ultima battaglia, combattuta nel 1268 a Tagliacozzo: dove i francesi e i guelfi colsero il trionfo definitivo; e dove ancora ai tempi di Dante – oltre trent'anni dopo – si raccoglievano le ossa dei morti.

Scrive il poeta che a Tagliacozzo «sanz' arme vinse il vecchio Alardo»: Erard de Valéry, anziano cavaliere francese, appena tornato dalla Terrasanta. In effetti gli Angioini, pur inferiori di numero, sconfissero Corradino di Svevia, nipote di Federico II, grazie a uno stratagemma che Erard aveva imparato dai musulmani. L'aiutante di campo del re Carlo d'Angiò indossò le sue vesti e lanciò alla carica l'avanguardia con le insegne reali. I ghibellini la affrontarono, la sbaragliarono, uccisero il falso sovrano e si abbandonarono al saccheggio del campo nemico. Ma, su consiglio del «vecchio Alardo», i francesi avevano tenuto nascosti dietro una collina ottocento cavalieri, guidati dal vero re, che si avventarono sugli imperiali e ne fecero strage.

Dietro l'immagine di uno stratega vittorioso «sanz' arme», si indovina il giudizio severo di Dante sugli Angioini: Carlo aveva fatto torturare orrendamente i nobili italiani che si erano schierati dalla parte degli Svevi; in un altro passo della Divina Commedia è additato come il responsabile anche della morte di san Tommaso d'Aquino. Del resto è stato un suo parente, anche lui di nome Carlo, a gettare Firenze nelle mani dei Neri.

Corradino fuggì a Roma, fu tradito, consegnato ai francesi e decapitato a Napoli in piazza Mercato; e Tagliacozzo nel 2019 ha giustamente eretto un monumento a Dante, che in un solo verso ha saputo evocare tante grandiose vicende.

Tra i peccatori della nona bolgia, il poeta ne osserva uno «rotto dal mento infin dove si trulla», aperto dalla bocca all'ano. Tra le gambe pendono le budella. Si vedono «la corata» – fegato, cuore, polmoni – e lo stomaco: «'l tristo sacco/ che merda fa di quel che si trangugia» (altro verso che spiacerà a Machiavelli). Quando nota la presenza di Dante, il dannato si apre il petto con le mani, dicendo: «Vedi come storpiato è Maometto!».

Maometto è raffigurato all'Inferno anche nella basilica di San Petronio a Bologna, in una cappella decorata all'inizio del Quattrocento da un ignoto pittore emiliano, forse Iacopo di Paolo o Giovanni da Modena. In realtà l'affresco non ha molto a che fare con la Divina Commedia. È un Inferno predantesco, senza il complesso ordine pensato dal poeta; l'autore sembra interessato più che altro a spaventare il popolo. Gli invidiosi hanno gli occhi trafitti dalle frecce scoccate dai diavoli; i golosi sono costretti a ingurgitare cibo, una specie di polpetta, in cui qualcuno ha creduto di vedere una mortadella. Maometto non è squartato, ma è raffigurato nudo, con serpenti che gli legano mani e piedi e un demone cornuto che gli afferra la gola. Gli islamici – che storicamente non amano Dante – se ne sono sentiti offesi, qualche estremista ha progettato di distruggere la cappella; da allora il sagrato di San Petronio è vigilato dalla polizia. (Peraltro l'immagine di Maometto all'Inferno è riprodotta in altri luoghi sacri italiani; ma è meglio non indicarli, perché nella loro ignoranza gli aspiranti terroristi non se ne sono ancora accorti.)

Ovviamente è impossibile giudicare la Divina Commedia con la sensibilità moderna. Per un italiano del Medioevo, l'Islam era un nemico, che aveva occupato intere regioni dalla Sicilia alla Puglia, aveva riconquistato la Terrasanta con grande spargimento di sangue cristiano, e continuava a tenere sotto scacco le coste dell'Adriatico e del Tirreno con le scorrerie dei Saraceni, che sarebbero proseguite per secoli. Inoltre, per Dante, Maometto è uno scismatico. È lui stesso a spiegare che in questa bolgia sono puniti i «seminator di scandalo e di scisma», coloro che divisero la propria comunità civile o religiosa. Nell'interpretazione del tempo, Maometto era un sacerdote cristiano che aveva fondato un'eresia. A Dante dice: «Dinanzi a me sen va piangendo Alì,/ fesso nel volto dal mento al ciuffetto», fino all'attaccatura dei capelli. Alì è il cugino, il genero e il primo discepolo di Maometto, che creò una nuova setta, dando origine allo scontro tra sciiti e sunniti; ma secondo un'altra interpretazione sarebbe stato il suo maestro. Così Dante lo colloca all'Inferno davanti al Profeta.

Come i seminatori di discordia separarono fedeli, cittadini, famiglie, amici, così ora vengono squartati da un diavolo che impugna una spada; le ferite si rimarginano subito, ma il demone le riapre ogni volta che i peccatori – costretti a muoversi di continuo – hanno finito di percorrere «la dolente strada», la dolorosa pista della bolgia.

Maometto pensa che sia uno scismatico pure Dante, ma Virgilio gli spiega il vero motivo del suo viaggio: non è la morte né la colpa a condurlo quaggiù, bensì la volontà divina, che vuole «dar lui esperienza piena» del peccato, consentirgli di conoscere sino in fondo l'abisso del male.

Allora Maometto affida a Dante un ammonimento per uno scismatico vero: «tu che forse vedra' il sole in breve», tu che tra poco ritornerai alla vita, di' a Dolcino che, se non vuole presto raggiungermi qui, deve fare provvista di viveri; altrimenti il blocco delle vie, a causa della neve, lo costringerà alla resa per fame, e darà la vittoria ai suoi nemici.

Qui Maometto allude all'affascinante e tenebrosa storia di fra' Dolcino, che si asserragliò sul monte Rubello, nel Biellese, nell'inverno tra il 1306 e il 1307. All'evidenza, Dante sa già come va a finire: quindi deve aver scritto questi versi dopo la crudele esecuzione dell'eretico.

Dolcino era un seguace di Gherardo Segarelli, fondatore della setta degli Apostolici, arso vivo a Parma nel 1300. Inseguendo un sogno di povertà e libertà, Dolcino aveva predicato sul lago di Garda, dove aveva conosciuto una donna bellissima, Margherita. Grande oppositore di Bonifacio VIII, vagheggiò l'avvento di un Papa santo, ma non disdegnò scorrerie contro i ricchi monasteri del Nord; poi cercò riparo sulle montagne dove era nato, in Valsesia. Il nuovo Papa, Clemente V, ordinò una crociata contro di lui, guidata dal vescovo di Vercelli.

Dolcino fu preso il giovedì santo del 1307. La prima a salire sul rogo fu Margherita, dopo essere stata orribilmente torturata. C'è una pagina fosca del Nome della rosa, in cui il cellario dell'abbazia confessa all'inquisitore il proprio passato eretico, e racconta il supplizio del frate e della sua compagna: «E vidi Margherita tagliata a pezzi davanti agli occhi di Dolcino, e gridava, scannata che era, povero corpo che una notte avevo toccato anch'io... E mentre il suo cadavere straziato bruciava, furono su Dolcino, e gli strapparono il naso e i testicoli con tenaglie infuocate, e non è vero quello che han detto dopo, che non emise neppure un gemito. Dolcino era alto e robusto, aveva una gran barba da diavolo e i capelli rossi che gli cadevano in anelli sugli omeri, era bello e potente quando ci guidava con un cappello a larghe falde, e la piuma, e la spada cinta sulla veste talare, Dolcino faceva paura agli uomini e faceva gridare di piacere le donne... Ma quando lo torturarono gridava di dolore anche lui, ... come un vitello, perdeva sangue da tutte le ferite mentre lo portavano da un angolo all'altro, e continuavano a ferirlo poco, per mostrare quanto a lungo potesse vivere un emissario del demonio, e lui voleva morire, chiedeva che lo finissero, ma morì troppo tardi, quando giunse sul rogo, ed era un solo ammasso di carne sanguinante».

E anche Dolcino, alla fine del suo tormento, doveva assomigliare a uno dei seminatori di discordia squartati in questa bolgia.

Dopo Maometto, prende la parola un dannato dall'aspetto terrificante: ha un solo orecchio, il naso mozzato, e la gola forata, da cui escono direttamente le parole miste a sangue, senza passare dalla bocca. Ha già incontrato Dante in vita, e ora l'ha riconosciuto, «se troppa simiglianza non m'inganna», se non lo confonde con un altro. Ricordati di me, dice: «Rimembriti di Pier da Medicina,/ se mai torni a veder lo dolce piano/ che da Vercelli a Marcabò dichina».

Dopo la Romagna e la Puglia, Dante ci fa vedere la pianura padana, che dalle Alpi piemontesi arriva sino al castello di Marcabò, costruito dai veneziani vicino a Ravenna (e da tempo distrutto). Quando la indicò ai suoi soldati dall'alto dell'Appennino, Napoleone la definì «la pianura più fertile del mondo». Per Dante invece è «dolce». Nel giro di pochi versi, dalle assolate distese di Canne ci porta sulle rive del Po, dove tanta parte della storia d'Italia si è giocata. Per un attimo ci lascia intravedere il corso del grande fiume, i pioppi, i campi di grano, i filari, gli orizzonti sconfinati che arrivano sino alle montagne. Ma poi l'orrore torna a prendere il sopravvento.

Questo Piero non si è mai capito bene chi fosse. Dante dice che viene da Medicina, borgo tra Bologna e Imola (oggi noto perché vi è nato Bruno Barbieri, cuoco pluristellato e giudice di MasterChef), lungo la via Emilia: la «strada antica come l'uomo/ marcata ai bordi dalle fantasie di un duomo», come canta Guccini. Storici e dantisti si sono invano infervorati per individuare il personaggio. Dante potrebbe averlo incontrato quando fu ospite dei signori di Medicina. Un commentatore assicura che Piero si era arricchito seminando rancore tra Guido da Polenta, signore di Ravenna, e i Malatesta di Rimini. Di sicuro i Malatesta non li ama; infatti affida a Dante un crudo racconto che li riguarda.

Piero chiede di avvertire i due più importanti cittadini di Fano, Guido del Cassero e Angiolello da Carignano, che saranno traditi e uccisi da un malvagio tiranno: Malatestino, «quel traditor che vede pur con l'uno», con un occhio solo. Egli li inviterà a colloquio, per trattare la pace tra Rimini e Fano, e manderà una nave a prenderli. Ma i due saranno gettati in mare, chiusi in un sacco pieno di sassi, quasi davanti a Cattolica, prima di affrontare il temuto «vento di Focara». E mai Nettuno, dio del mare, ha visto un delitto così infame, né da parte dei pirati saraceni, né degli antichi Greci.

Fiorenzuola di Focara è un borgo marinaro, dove la rocciosa costa marchigiana declina nella bassa costa romagnola: qui si formano venti impetuosi, ben conosciuti dai marinai dell'antichità; e in effetti l'Adriatico, che può sembrare un placido golfo, a volte si infuria in tempeste terribili. Ma il vento è anche metafora della violenza di quell'efferato delitto.

Di Malatestino, fratello di Paolo e Gianciotto Malatesta, parla malissimo anche Gabriele D'Annunzio, nella sua tragedia «Francesca da Rimini»: è lui a far cadere i due amanti in trappola, a far sorprendere Paolo e Francesca dal marito tradito.

Va notato che Dante considera Romagna anche zone che ora fanno parte delle Marche: regione plurale fin dal nome, terre di confine, a cavallo tra Nord, Centro e Sud; quella che oggi è la provincia di Pesaro e Urbino è in effetti imparentata con la Romagna, per cultura e lingua; basta sentir parlare Valentino Rossi.

La Romagna, e in particolare Rimini, torna anche nella storia di un altro dannato, che – scrive Dante – preferirebbe non averla mai vista. È Caio Curione, tribuno della plebe. Esiliato da Roma perché sostenitore di Cesare, lo raggiunse presso il Rubicone. Qui il condottiero si era fermato, indeciso sul da farsi: il fiume segnava il confine settentrionale della Repubblica; varcarlo in armi significava scatenare la guerra civile. Secondo Lucano, Curione convinse Cesare a marciare, dicendo: «Semper nocuit differre paratis»; chi è pronto fu sempre danneggiato dall'indugiare. Dante traduce così: «'l fornito/ sempre con danno l'attender sofferse». Con queste parole, Curione aprì un lungo periodo di odio e discordia che devastò l'Italia; ma ora non può più parlare. Pier da Medicina afferra la sua mascella, la spalanca, e fa notare che gli è stata mozzata la lingua.

Pare la scena di un film horror; e non è finita qui. Ecco apparire un altro dannato, dalle mani tagliate, che leva i moncherini «per l'aura fosca», sullo sfondo del cupo cielo infernale, macchiandosi la faccia di sangue, e gridando: «Ricordera'ti anche del Mosca». L'uomo che implora di essere ricordato è Mosca dei Lamberti, uno dei fiorentini illustri di cui Dante ha chiesto notizie a Ciacco, il goloso. Ora Mosca ripete, qui nella nona bolgia, la frase che l'ha reso celebre: «Capo ha cosa fatta»; cosa fatta capo ha, diciamo oggi.

Dante ha già evocato l'episodio. Siamo nel 1216. Il nobile fiorentino Buondelmonte de' Buondelmonti ha rotto il fidanzamento con una Amidei per sposare una Donati. Gli Amidei riuniscono i familiari, tra cui i Lamberti, per decidere la vendetta. Si esaminano le possibili punizioni: qualche legnata; un ferimento a sangue; la morte. Mosca è per l'omicidio: le cose fatte a metà non danno nessuna certezza, solo la morte è per sempre; cosa fatta, appunto, capo ha. Buondelmonte viene assassinato la mattina di Pasqua, mentre sta andando a sposarsi. La sua fazione ovviamente prepara la rappresaglia. Ne deriverà una lunga guerra civile, che prima si innesta sul conflitto tra guelfi e ghibellini, poi su quello interno al partito guelfo tra i Neri e i Bianchi. Ne verrà anche la «morte di tua schiatta», come dice Dante: la rovina per i Lamberti, che saranno cacciati da Firenze. A sentire quelle parole, che al dolore della pena aggiungono la sofferenza per la fine della sua casata, Mosca si allontana furente, «come persona trista e matta».

Qui il lettore sarebbe già sazio di sangue; ma Dante ha ancora in serbo per lui una scena da romanzo di Stephen King. All'Inferno ha visto una cosa che avrebbe paura di raccontare, per non passare da bugiardo, non avendo testimoni; ma lo rassicura la sua coscienza, «la buona compagnia che l'uom francheggia/ sotto l'asbergo del sentirsi pura»: armata della purezza come di una corazza, la coscienza rende l'uomo franco, libero e sicuro. Dante non mente al lettore. Le cose che narra sono inventate; non false.

Insomma il poeta ha visto, e ancora gli pare di vedere, un corpo che reggeva in mano la propria testa, tenendola per i capelli, penzoloni come una lanterna. «Di sé facea a sé stesso lucerna,/ ed eran due in uno e uno in due»; la testa, con gli occhi, fa da lucerna al busto che cammina. Per parlare, il dannato stringe più forte i suoi stessi capelli e solleva il capo all'altezza di Dante: «Or vedi la pena molesta,/ tu che, [re]spirando, vai veggendo i morti:/ vedi s'alcuna è grande come questa».

È Bertran de Born, feudatario del Périgord e poeta in lingua provenzale. Dante lo ammira molto. Tutta la descrizione della bolgia è un'eco delle sue poesie: nella più celebre – intitolata «Be·m platz», ben mi piace – Bertran descrive la tragica bellezza delle battaglie, con i cavalieri e i cavalli lanciati alla carica, e i corpi feriti e mutilati. L'Aquitania, di cui faceva parte il Périgord, apparteneva allora al re d'Inghilterra Enrico II, che l'aveva affidata al figlio, anche lui di nome Enrico. Bertran mise i due re, il vecchio e il giovane, uno contro l'altro; così come Achitofel, personaggio della Bibbia, aveva messo uno contro l'altro Davide e il suo erede Assalonne.

Poiché Bertran aveva diviso persone così unite come un padre e un figlio, ora porta la propria testa divisa dal midollo spinale e dal resto del corpo; «così s'osserva in me lo contrapasso». Per la prima e ultima volta Dante cita la parola che regola l'Inferno: ognuno è punito nello stesso modo in cui ha peccato. È la legge del taglione, immediatamente comprensibile all'uomo del Medioevo. Ed è così che la Divina Commedia riesce a parlare al popolo come ai sapienti.

La bolgia dei seminatori di discordie è tanto sanguinosa, perché Dante avverte quelle ferite sulla sua pelle, nelle sue carni. Non a caso ha posto uno accanto all'altro Mosca – un fiorentino, come lui – e Bertran: un poeta, come lui. La dura prova dell'esilio, le divisioni tra cittadini e tra italiani, sono la tragedia della sua vita. Così ha messo in scena nello stesso canto la guerra civile tra Cesare e Pompeo, le sanguinose battaglie con cui nel secolo precedente dinastie straniere – tedesche e francesi – si erano contese l'Italia meridionale, e le eterne rivalità tra i signorotti delle città del Nord.

È come se dovessimo pagare la fortuna di essere nati nel più bel Paese del mondo con un destino di incomprensioni, di odi, di conflitti. Dante tornerà a dirlo nel Purgatorio: «E l'un l'altro si rode/ di quei ch'un muro e una fossa serra». E lo ripeterà nel Paradiso, quando dall'alto dell'Empireo contemplerà «l'aiuola che ci fa tanto feroci»; perché le guerre tra italiani diventano figura della contesa che percorre tutto il mondo, e l'intera storia dell'umanità. Lo si capisce quando, al momento di allontanarsi dalla bolgia, si sofferma davanti alle «ombre triste smozzicate», e gli viene voglia di piangere.

Forse, dopo Dante, soltanto Fernando Pessoa ha restituito lo stesso senso di appartenenza all'umanità, lo stesso sentimento per cui nulla di umano, neppure le cose più abiette, ci sono estranee; noi siamo tutti gli altri, e tutte le città del mondo ci rumoreggiano dentro.

Pessoa è stato il più grande poeta portoghese: i turisti a Lisbona si fanno fotografare accanto alla sua statua, seduta a un tavolino del suo caffè preferito, la Brasileira. Pessoa adorava Dante, che considerava il primo uomo del Rinascimento. La sua ansia di sentire tutto, di sentire come gli altri, l'aveva indotto a moltiplicarsi: firmava le proprie opere con nomi diversi – Alberto Caeiro, Ricardo Reis, António Mora… –; anzi, quando scriveva, diventava Alberto Caeiro, Ricardo Reis, António Mora. Non uno pseudonimo; un eteronimo, un'altra versione di sé. A ognuno aveva attribuito una biografia immaginaria, e uno stile letterario diverso. La sua poesia forse più bella, «Passaggio delle ore», la firmò con il nome di Álvaro de Campos; ed è una dichiarazione di appartenenza all'umanità, che possiamo considerare quasi dantesca.

Ho visto tutte le cose, e mi sono meravigliato di tutto
Stringo al mio petto ansante, in un abbraccio commosso
(nello stesso abbraccio commosso)
l'uomo che dà la camicia al povero che non conosce

il soldato che muore per la patria senza sapere cosa
  è patria,
e il matricida, il fratricida, l'incestuoso
il borsaiolo, l'ombra che aspetta nei vicoli –
tutti sono la mia amante prediletta almeno un momento nella vita.
Bacio sulla bocca tutte le prostitute,
bacio sugli occhi tutti i mezzani,
la mia passività giace ai piedi di tutti gli assassini,
e il mio mantello nasconde la fuga di tutti i ladri.
Tutto è la ragione di essere della mia vita.
Ho commesso tutti i crimini
ho vissuto dentro tutti i crimini
Mi sono moltiplicato per sentirmi,
per sentirmi ho dovuto sentir tutto,
sono straripato, non ho fatto altro che traboccarmi,
mi sono spogliato, mi sono dato,
e in ogni angolo della mia anima c'è un altare a un
  dio differente.
Furono dati sulla mia bocca i baci di tutti gli
  appuntamenti
sventolarono nel mio cuore i fazzoletti di tutti gli
  addii ...

E in altre poesie Pessoa aggiunge:

Sento che niente sono, se non l'ombra
di un volto imperscrutabile nell'ombra:
e per assenza esisto, come il vuoto. ...
La morte è la curva della strada.
Morire è solo non essere visto.

Ventidue

Dante al Palio

Dove i senesi sperperano grandi ricchezze, ma a sorpresa
il poeta fiorentino li tratta meglio degli altri toscani

Finalmente Virgilio e Dante, abituati ad andare sempre d'accordo, hanno un battibecco. Vedendo l'allievo indugiare, il maestro lo scuote: «Già la luna è sotto i nostri piedi», il tempo passa, ci sono altre cose da vedere, altri personaggi da incontrare; se vuole mettersi a contare i dannati uno a uno, tenga presente che il giro della bolgia è lungo ventidue miglia. Ma Dante gli tiene testa, e spiega la causa della propria esitazione: nella folla dei mutilati ha visto uno «spirto del mio sangue», un parente.

Virgilio gli dice di lasciarlo perdere: «Attendi ad altro, ed ei là si rimanga»; perché mentre Dante conversava con Bertran, il suo familiare lo indicava e lo minacciava con il dito. È Alighieri del Bello, detto Geri, cugino del padre di Dante. Guelfo, esiliato da Firenze nel 1260 dopo la rotta di Montaperti, è stato ucciso da un rivale e non è ancora stato vendicato. Per questo se n'è fuggito, sdegnato; «e in ciò m'ha el fatto a sé più pio» scrive Dante; questo mi ha reso più pietoso nei suoi confronti.

La vendetta non era pratica proibita, anzi: «lenta o ratta, sia la vendetta fatta» scriveva il saggio Brunetto La-

225

tini; e il sangue di Geri sarà lavato da un altro Alighieri nel 1310, trent'anni dopo la sua morte. Ma è un'attitudine che Dante considera estranea alla propria etica, cristiana e civile. I suoi versi sono anche un modo per dire ai quattro figli – Antonia, Giovanni, Pietro, Iacopo – di non vendicarlo, di non consumarsi nel rimpianto per l'esilio, di non abbattersi per l'umiliazione della vita raminga lontano dalla patria. Da queste catene di vendette è sempre venuto il male degli italiani. L'unico sentimento che Dante prova verso carnefici e vittime è appunto la pietà.

Conversando, i due poeti sono arrivati alla decima e ultima bolgia, da cui salgono lamenti così strazianti che Dante si tappa le orecchie per non sentirli. Se si adunassero in una fossa, tra luglio e settembre, tutti i malati della Valdichiana, della Maremma e della Sardegna, il fetore sarebbe simile a quello che sale dalle «marcite membre», dalle carni in decomposizione dei dannati.

Nel Trecento molte zone d'Italia erano paludose e infestate dalla malaria, in particolare d'estate. Compresa la valle del fiume Chiana, tra Arezzo e Chiusi. Ma sono malati di lebbra, più che di malaria, quelli che Dante si trova di fronte. Prima ha evocato le vittime delle guerre; qui ci mostra quelle delle epidemie.

Per dare un'idea di quanto la scena sia triste, Dante la accosta alla tragedia di Egina, l'isola di fronte ad Atene, che prese il nome da una ninfa amata da Zeus. Gelosa, Era colpì Egina con una pestilenza che uccise tutte le forme di vita: «Quando fu l'aere sì pien di

malizia», quando l'aria divenne infetta, prima morirono gli animali, fino al più piccolo verme, e poi gli uomini; si salvò soltanto il re, Eaco, che ottenne da Zeus
di ripopolare la sua isola trasformando le formiche in
esseri umani.

Nella bolgia i dannati giacciono a mucchi: chi langue sul ventre di un altro, chi sulle spalle, chi si trascina carponi; nessuno riesce ad alzarsi in piedi. Due
di loro, con la pelle a chiazze, stanno seduti reggendo-
si schiena contro schiena: si grattano le croste in preda a un prurito irrefrenabile, con la furia del paggio
che striglia il cavallo atteso dal padrone, o dello stal-
liere che la notte ha fretta di finire il lavoro; e si strappano le vescicole della scabbia, come il cuoco raschia
le squame di un pesce.

È una scena consueta per l'uomo medievale. La vita
era al tempo molto più fragile; le epidemie non erano
considerate spaventose sorprese ma dolorose abitudini. Va detto che l'Italia, e la Toscana in particolare, erano all'avanguardia nell'arte medica. Lo testimoniano
gli affreschi che, cent'anni dopo Dante, la Repubblica
di Siena commissionò ai propri artisti nell'ospedale di
Santa Maria della Scala, che è stato l'ospedale dei senesi fino alla fine del Novecento, prima di diventare
un museo. Si vedono i medici prendersi cura dei malati tremanti, suturare le ferite, esaminare le orine; altri affreschi mostrano le anime che salgono in Cielo;
mentre nel Carnaio sotto le fondamenta dell'ospedale si gettavano i morti di peste; e le ossa ancora oggi
spuntano dalla terra.

Proprio a Siena sta per portarci Dante. Questi dannati, che usano le dita come tenaglie, sono i falsari. Si
distinguono in quattro specie: falsari di metalli, di mo-

nete, di parole – che ingannarono il prossimo con la menzogna – e di persone, che assunsero le sembianze di un altro, rubandogli l'identità (e c'è da sperare che ora siano raggiunti da coloro che aprono un profilo social appropriandosi di un nome altrui, nel disinteresse dei ricchissimi padroni della Rete). La malattia corrompe l'aspetto dei falsari, così come loro hanno alterato la natura.

I primi che si incontrano sono gli alchimisti: molto considerati e ricercati dai contemporanei – pure Tommaso d'Aquino riteneva possibile trasformare i metalli vili in oro grazie alla pietra filosofale –; ma disprezzati e compatiti da Dante.

Le terzine dedicate alla decima bolgia non sono particolarmente amate dai commentatori. Forse anche il sommo poeta, in qualche lunedì mattina piovoso, scriveva i suoi versi peggiori. In realtà, il modo in cui Dante si rivolge ai dannati è solenne e dolce insieme:

Se la vostra memoria non s'imboli
nel primo mondo da l'umane menti,
ma s'ella viva sotto molti soli,
ditemi chi voi siete e di che genti;
la vostra sconcia e fastidiosa pena
di palesarvi a me non vi spaventi.

Dante augura alle anime che la loro memoria non svanisca, che gli uomini continuino a ricordarle; e le invita a non avere vergogna della loro pena, a dirgli chi sono e da dove vengono.

A rispondere è Griffolino d'Arezzo, che esercitò l'arte di alchimista a Siena. Qui conobbe e si prese gioco di un certo Albero, forse Alberto, figlio naturale del vescovo, uomo fatuo e di poco senno. Gli fece credere di poter volare; ingannato e deluso, Albero denunciò l'alchimista al padre, che lo fece bruciare come eretico. Ma non è l'eresia, bensì l'alchimia (anche se la distinzione fra le due non era chiara) ad aver relegato Griffolino nella decima bolgia.

Dante coglie l'occasione per un'invettiva contro i senesi, insolitamente bonaria per un fiorentino. Mentre lucchesi e pistoiesi sono additati come corrotti e ladri – e ancora peggiore trattamento sarà riservato ai pisani –, ai senesi si rimprovera una vena di follia. È gente «vana», vanitosa, più ancora dei francesi. Un altro dannato fiorentino lo ascolta e interviene a rincarare la dose: non dimentichiamoci – dice – di Niccolò dei Salimbeni, il primo a introdurre i costosissimi chiodi di garofano per condire gli arrosti; e della «brigata godereccia», il leggendario gruppo di amici che raccolsero in una cassa comune 200 mila fiorini, e li spesero in venti mesi di bagordi. Il falsario cita, tra i soci della brigata, Caccianemico degli Scialenghi di Asciano, che perse le sue vigne e i suoi campi; e Bartolomeo dei Folcacchieri, detto l'Abbagliato, che essendo povero bruciò nei bagordi non il denaro che non aveva, ma il senno.

Gli allegri senesi sono per noi oggi puri nomi; ma quella vena di follia e gioia di vivere, non necessariamente insana, è arrivata nella città del Palio fino ai giorni nostri. Non erano senesi però gli ultimi amministratori del Monte dei Paschi, che hanno disperso un patrimonio facendo fallire una delle più antiche banche d'Europa: «babbo» Monte, che finanziava comunisti e democristiani, l'Arci e le parrocchie, la squadra di calcio e quella di basket, e ovviamente tutte le contrade

Le rivalità accese dal Palio possono dividere amicizie e famiglie, innescano sentimenti e passioni a volte violente; ma sono segno di un'identità collettiva, di una cultura condivisa. I senesi amano raccontare di puerpere trascinate di peso nottetempo da una parte all'altra del Campo, perché il nascituro non sia dell'Oca o della Torre; ma quando muore il priore o il capitano dell'Oca, in chiesa al posto d'onore c'è la bandiera della Torre. E lo stesso accade tra Istrice e Lupa, tra Montone e Nicchio.

Il Palio è la più folle delle gare: l'unica in cui il vincitore non guadagna soldi ma li perde, non viene pagato ma paga gli sconfitti; in particolare quelli che l'hanno aiutato a vincere. Più che conquistare il Palio, è importante far perdere la contrada rivale. Il Montone ad esempio non vince dal 2012; ma siccome il Nicchio è a digiuno da più tempo ancora, il Montone scende in piazza con il principale obiettivo di far perdere il Nicchio, a costo di disarcionarne il fantino (è successo nel 2015).

Il crac del Monte è carne, è sangue. È stato anche una tragedia collettiva, per chi vi ha lasciato i risparmi. Sugli amministratori incapaci o infedeli, Dante avrebbe scritto versi di fuoco. Ma avrebbe trovato le parole giuste anche per gli inoffensivi matti di Siena, che fino a poco tempo fa erano una tradizione, quasi una categoria sociale, come i metalmeccanici; trastullo dei ragazzi ma in fondo amati, integrati Il più allegro lo chiamavano Trombetta, perché a chi lo apostrofava – «Trombettaaa!» – rispondeva ridendo «perepé!». E poi Sello, che seguiva tutti i matrimoni e tutti i funerali. Benito il Diabolico, l'unico senese ad aver vinto ogni Palio: in piazza del Campo andava con i fazzoletti di ogni contrada comprese le acerrime rivali; poi si univa al corteo dei vincitori. E il Bersagliere, cui una volta annunciarono per scherzo che era stato condannato a morte, e a sorpresa non si spaventò, anzi offrì il petto: «Sono pronto! Viva l'Italia!».

Se invece dovesse parlare dei dissipatori moderni, non è escluso che Dante citerebbe semmai la più bella battuta nella storia dello sport. La pronunciò George Best, centravanti del Manchester United, Pallone d'oro nel fatidico 1968, detto il quinto Beatle per i capelli lunghi: «Ho speso metà di quello che ho guadagnato in alcol, donne e motori». E il resto? «Il resto l'ho sperperato.»

Ma chi è il peccatore fiorentino, che si è unito alla bonaria invettiva di Dante contro i senesi? È un suo compagno di scuola, e lo sfida a riconoscerlo. Si chiama Capocchio, e con il poeta studiò filosofia naturale, come si chiamava allora la chimica. Sono lezioni che Dante affrontò per potersi iscrivere all'arte dei medici e degli speziali, e fare così politica. Secondo le leggi della Firenze del tempo – scritte da un aristocratico, Giano della Bella, per far fuori gli aristocratici –, solo chi era iscritto a una corporazione, e quindi esercitava un mestiere, poteva assumere cariche pubbliche. Non esistendo il sindacato dei poeti, Dante dovette figurare come farmacista. Non sappiamo se si sia annoiato al corso; ma di sicuro Capocchio, il suo compagno, ci prese gusto. «Fui di natura buona scimia», buon imitatore della natura, dice di sé: specializzato nel falsificare qualsiasi cosa, in particolare i metalli; e per questo venne mandato al rogo. Fu bruciato vivo nel 1293, a Siena; il che spiega il suo sarcasmo contro la città.

L'alchimista ha appena finito di parlare, che entrano in scena «due ombre smorte e nude», correndo come fa il maiale quando è liberato dal porcile. Una azzanna Capocchio alla nuca, e lo trascina via tra i denti facendogli grattare il ventre sul duro fondo della bolgia. È l'ombra di Gianni Schicchi, un personaggio da commedia. Straordinario imitatore, capace di calarsi nei panni di chiunque, raggiunse i vertici della propria arte facendosi passare per un morente.

Andò così. Il ricco Buoso Donati stava per spirare. Un suo parente, Simone – padre di Corso Donati, il capo dei Neri –, architettò un piano per accaparrarsi l'eredità e truffare gli eredi legittimi. Riuscì a infilare in un letto della grande casa Gianni Schicchi, travestito da Buoso, convocò notaio e testimoni, e gli fece dettare il testamento: ovviamente in suo favore. Il prezzo fu la più bella cavalla della scuderia dei Donati: il ladro di identità la fece intestare a se stesso.

L'altra ombra che passa rabbiosa è Mirra, personaggio del mito greco e delle Metamorfosi di Ovidio. Dante mette accanto un dannato del suo tempo e un'«anima antica»: la beffa e il dramma, la commedia e la tragedia coesistono; nella prospettiva dell'aldilà, il burlone e l'eroina «scellerata» si ritrovano a correre insieme, come animali selvaggi, calpestando i compagni di pena.

Mirra era la principessa di Cipro. Si innamorò del

re suo padre, Cinira, e per soddisfare l'insana passione si finse un'altra donna; scoperta dal genitore, fuggì nel deserto d'Arabia dove fu trasformata in una pianta aromatica, che dà appunto la mirra; da quell'amore nacque il bellissimo Adone.

Per restituire l'idea della furia che agita Mirra e Gianni Schicchi, Dante evoca altri due miti, due personaggi rovinati dalla perfidia degli dei e degli uomini. La prima storia è quella di Semele, una fanciulla amata da Zeus, da cui attendeva un figlio. Ingelosita, Era escogitò un modo per punirla. Prese le sembianze della sua nutrice, e convinse Semele a chiedere a Zeus di mostrarsi in tutto il suo splendore. Invano il re degli dei tentò di dissuadere la ragazza; alla fine la accontentò, ma inevitabilmente la ridusse in cenere; riuscì però a salvare il figlio, cucendolo dentro la propria coscia: nascerà così Dioniso. Non appagata dalla vendetta, Era colpì anche la sorella di Semele, Ino. Fece impazzire suo marito, il re Atamante, che confuse la moglie e i due figli con una leonessa e due leoncini: prese uno dei piccoli, lo fece ruotare e lo sfracellò contro un sasso; Ino si affogò in mare con l'altro bambino in braccio. Così almeno scrive Dante (secondo Ovidio, Atamante aveva scaraventato il piccolo in acqua, e la madre morì nel tentativo di soccorrerlo).

L'altra storia è ancora più crudele; perché non c'è dolore più atroce di sopravvivere a un figlio. È la vicenda della regina Ecuba, la moglie di Priamo, «trista, misera e cattiva», cioè prigioniera. Dopo la caduta di Troia, Ecuba vide i Greci uccidere la figlia Polissena, sacrificata sulla tomba di Achille; e quando scese in riva al mare a lavarne il corpo, trovò i resti del figlio più piccolo, il prediletto Polidoro. È il principe affidato da

Priamo – con il tesoro della città – a Polinestore, re di Tracia, che l'aveva ucciso a tradimento per impossessarsi dell'oro. Dante scrive che la madre «forsennata latrò sì come cane», e tace della sua vendetta; Ovidio invece racconta che all'infido Polinestore Ecuba abbia poi strappato gli occhi.

Ventitré

Dante a Vergaio

Dove i falsari combattono una battaglia di parole come i
contadini di Roberto Benigni

Dopo averci condotti nel mondo senza tempo del mito
greco, Dante ci riporta nella decima bolgia, tra i falsari. Ne vede uno talmente gonfio da sembrare un liuto,
una sorta di mandolino più grande: come se la testa e
il busto formassero il manico, e la pancia la cassa ar-
monica dello strumento. Il dannato soffre di idropisia,
il male causato dalla ritenzione di liquidi. Dante ne dà
una descrizione chirurgica: «l'omor che mal conver-
te», il liquido sottocutaneo che non riesce a diventare
linfa e carne, fa sì che il ventre si gonfi in modo spro-
porzionato al viso, che resta magro. Roso dalla sete,
il peccatore tiene le labbra spalancate, come per accogliere l'acqua che non c'è. Si rivolge a Dante con un
linguaggio ricercato, e si presenta come il «maestro
Adamo», uomo un tempo ricco e potente: «Io ebbi,
vivo, assai di quel ch'i' volli,/ e ora, lasso!, un gocciol
d'acqua bramo».

Magister era il titolo che al tempo si dava agli acca-
demici. Il personaggio è stato identificato con Adam
de Anglia, un dotto inglese che insegnò a Bologna
prima di essere chiamato nel Casentino dai conti
Guidi, nel loro castello di Romena. È tuttora un posto

bellissimo, da cui si gode una vista grandiosa: pure Dante vi soggiornò (anche se un altro ramo della famiglia Guidi lo ospitò più a lungo nella roccaforte di Porciano); e molti secoli dopo Gabriele D'Annunzio, sotto una tenda montata nella piazza d'armi del castello, scrisse una parte dell'Alcyone. Ai «ruscelletti», che dai «verdi colli» del Casentino scendono nell'Arno, ripensa con nostalgia il dannato; e con tutte queste consonanti liquide, queste «elle», anche a noi sembra di vederli scorrere.

Su istigazione dei conti Guidi, maestro Adamo falsificò il fiorino, la moneta di Firenze che reca impressa l'immagine del protettore della città, san Giovanni Battista. «Il maladetto fiore» lo definirà Dante nel Paradiso; e in effetti la ricchezza, di cui è simbolo il fiorino – coniato nel 1252 –, fu anche causa di corruzione e contese; ma resta una delle grandi monete della storia d'Europa. Il dollaro del Medioevo. Il fiorino era di ventiquattro carati d'oro puro; ma nella versione falsificata da maestro Adamo tre carati erano di «mondiglia», metallo vile. Firenze difendeva con regole severissime la sua moneta; infatti il falsario fu arso vivo, non sappiamo se in città – e Dante adolescente forse c'era – o in una località vicina al castello di Romena, che ancora oggi si chiama Ommorto.

Si salvarono invece i tre conti – Guido, Alessandro e Aghinolfo – che gli avevano commissionato il crimine; furono condannati in contumacia, quando erano già lontani; e maestro Adamo, per quanto assetato, rinuncerebbe a tutta l'acqua della Fontebranda, la celebre fontana di Siena, pur di vedere puniti coloro che l'hanno perduto. Qualcuno gli ha detto che Guido è già morto, e la sua anima dovrebbe essere qui, nella stessa bolgia; ma, bloccato dal proprio male, il falsario non può godere di quella vista. Così l'uomo che parlava forbito si rivela accecato dall'odio; poiché – come sa Dante, conoscitore dell'animo umano – la forma più completa della vendetta è guardare con i propri occhi la rovina altrui. Se potesse trascinarsi per un'oncia (due centimetri e mezzo) in cent'anni, maestro Adamo si sarebbe «messo già per lo sentiero», per poter vedere la punizione del nemico; e dire che la bolgia ha una circonferenza di undici miglia.

Resta una curiosità: come mai Dante tratta così male i conti Guidi, che lo ospitarono? Perché li indica come mandanti di un crimine, se soggiornò più volte a casa loro? Quando nel 1304 morì Alessandro, il poeta scrisse ai nipoti una Epistola di condoglianze, per lodare la «magnificentia» del defunto, arrivando a vederlo in gloria tra i beati della reggia celeste. È possibile che in seguito abbia cambiato idea; del resto colloca all'Inferno anche uomini di cui ha grande stima, come Brunetto Latini. In ogni caso pare che i conti l'abbiano presa bene, visto che tornarono ad accogliere Dante; o forse non avevano letto l'Inferno. Nei loro castelli il poeta scrisse, tra il 1310 e il 1313, il Purgatorio, in cui definisce gli abitanti del Casentino «porci», forse per la loro lussuria. Si racconta che, quando i conti Guidi se ne accorsero, abbiano imprigionato Dante per qualche giorno; ovviamente nel castello di Porciano.

Ora il poeta si prepara a scrivere una battaglia di parole, da far combattere a maestro Adamo e a un altro dannato. Era un genere letterario realistico, duro, crudo, molto popolare al tempo: una tenzone in rima, in cui ogni duellante ripete l'ultima cosa detta dall'altro e gliela rovescia addosso, avendo cura di colpirlo nel punto debole, tentando di fargli più male possibile.

Dante nota «due tapini», divorati dalla «febbre aguta», che vede fumare come mani bagnate d'inverno; e chiede chi siano. Maestro Adamo li ha trovati qui quando è arrivato, non li ha mai visti muoversi, e crede che mai si muoveranno. Sono due falsari di parole. Una è la moglie di Putifarre, che tentò di sedurre Giuseppe e, respinta, lo accusò ingiustamente di averla molestata. L'altro è Sinone, il cugino di Ulisse, che si fece prendere prigioniero dai Troiani e li convinse a portare il cavallo di legno dentro le mura della città.

Offeso nel sentirsi rinfacciare il proprio peccato, Sinone percuote maestro Adamo con un pugno nel gigantesco stomaco, che risuona come un tamburo; l'altro reagisce con un colpo al viso. Poi lo scontro diventa verbale, con un ritmo frenetico. Vale la pena affilare la nostra attenzione, e seguirlo.

Mastro Adamo: «Ancor che mi sia tolto/ lo muover per le membra che son gravi,/ ho io il braccio a tal mestiere sciolto»; anche se le mie membra sono pesanti, per picchiare ho ancora il braccio pronto.

Sinone: «Quando tu andavi/ al fuoco, non l'avei tu così presto;/ ma sì e più l'avei quando coniavi»; andando al rogo con le mani legate dietro la schiena, il tuo braccio non era così veloce; ma lo era altrettanto, forse più, quando coniavi la moneta falsa.

«E l'idropico: "Tu di' ver di questo:/ ma tu non fosti sì ver testimonio/ là 've del ver fosti a Troia richesto"»; sul rogo dici il vero, ma dicesti il falso quando i Troiani ti chiesero la verità sul cavallo.

«"S'io dissi il falso, e tu falsasti il conio",/ disse Sinon; "e son qui per un fallo,/ e tu per più ch'alcun altro demonio!"»; se io una volta dissi il falso, e tu falsificasti la moneta, allora io sono qui per un solo errore, e tu per più errori di qualsiasi demonio.

«Ricorditi, spergiuro, del cavallo ... e sieti reo che tutto il mondo sallo!», grida maestro Adamo: ti sia penoso che tutti sappiano il tuo inganno!

A questo punto i due cominciano a rinfacciarsi le rispettive malattie, e le loro deformità. Sinone augura all'avversario che gli siano insopportabili sia la sete, sia l'acqua che gli gonfia la pancia tanto da far siepe agli occhi. Adamo replica: se a me si crepa la lingua, a te si squarcia la bocca; se io ho sete e sono gonfio, tu hai l'arsura e il mal di testa...

È allora che Virgilio scuote Dante: «Per poco che teco non mi risso», tra un po' mi metto pure io a litigare con te. Il poeta ci resta malissimo, e diventa tutto rosso. Ma Virgilio si rabbonisce subito: come la lancia di Achille aveva il potere di guarire le ferite che causava, allo stesso modo la voce del maestro, dopo aver ferito il discepolo, lo risana. Dice Virgilio che una vergogna minore lava una colpa maggiore di quella di Dante; ma se capiterà ancora di ascoltare altra gente litigare così, Virgilio gli starà accanto; perché «voler ciò udire è bassa voglia». È triste la gioia di sentire gli altri scontrarsi. Allo stesso modo, c'è una tristezza nel pettegolezzo. Quante volte abbiamo letto un articolo, o seguito avidamente una polemica in Rete, per poi sentirci alla fine peggiori, e scontenti di noi stessi?

A dire il vero, anche Dante ha praticato la tenzone in rima. Purtroppo è andato perduto il sonetto a cui Cecco Angiolieri risponde con sarcasmo: «S'eo desno con altrui, e tu vi ceni;/ s'eo mordo 'l grasso, e tu vi sugi 'l lardo»; se io pranzo con altri, tu ci ceni, s'io mordo il grasso, tu succhi il lardo... Ma il suo grande nemico letterario è stato Forese Donati, il fratello di Corso.

Dante gliene dice di tutti i colori: non è figlio di suo padre, come Cristo non lo era di Giuseppe; è brutto, sfregiato, goloso, grasso, e non paga i conti; la moglie Nella è raffreddata anche d'agosto, perché dorme sola mentre lui è in giro con altre donne o a rubare; quando la gente lo vede per strada nasconde la borsa con i soldi e cambia marciapiedi; pure i suoi fratelli trascurano le mogli, forse perché preferiscono gli uomini... Accuse talmente aspre che qualche studioso si è convinto che questi sonetti siano un falso del Quattrocento. Forese Donati gli risponde con altrettanta durezza, prevedendo che l'Alighieri, povero com'è, finirà i suoi giorni all'ospizio; ma ovviamente non può reggere il confronto poetico.

Quando però Dante lo ritrova in Purgatorio, dov'è punito appunto per la gola, l'incontro è affettuoso. Il poeta ritratta le cattiverie scritte sulla moglie Nella, anzi ne loda la virtù, a maggior ragione rispetto alle altre fiorentine, così discinte che tra poco i preti dovranno loro proibire di «andar mostrando con le poppe il petto». Non c'è più traccia, nella Divina Commedia, dell'accanimento nel ferire l'avversario. Non c'è nostalgia di quella vita dissipata, della polemica, degli amori disordinati. È il momento della redenzione, e della riconciliazione. Dice Dante a Forese: «Se tu riduci a mente/ qual fosti meco, e qual io teco fui,/ ancor fia grave il memorar presente»; se ripensi a come sei stato tu con me, e a come io sono stato con te, il ricordare ti diventa un tormento.

Man mano che risalirà la montagna del Purgatorio, per avvicinarsi al Paradiso, Dante abbandonerà i toni aspri, e tornerà a farsi ispirare dall'amore spirituale, fino all'incontro con Beatrice.

Però quelle rime dure e ostili, quei versi polemici e insolenti, Dante li ha scritti. Aprendo una tradizione giunta sino a noi attraverso i secoli, ancora viva nelle campagne toscane, sia pure in forme ironiche e scherzose.

Roberto Benigni, che ha saputo avvicinare alla Divina Commedia il grande pubblico televisivo, ha portato in scena anche le battaglie in versi che aveva sentito da ragazzo, quando faceva il barista alla Casa del popolo di Vergaio, il borgo sopra Prato dov'è cresciuto.

Dietro il bancone, il giovane Roberto leggeva Satanik, anche per vedere i disegni delle donne con le giarrettiere e le calze a rete; e intanto annotava le rime con cui si scontravano il poeta del paese, Remido della Chiarina, e il nuovo arrivato, il Guercio di Vinci, che fumava le sigarette Stop senza filtro e aveva una Simca marrone, che prestava ai ragazzi per andare al mare.

Parte subito forte Remido: «Tu vien da Vinci, da quei colli verdi/ tu vien da Vinci, ma con me tu perdi». È il guanto di sfida. Al Guercio, che in pratica gli ha dato dell'imbecille, Remido risponde:

«Te, che tu sei il poeta e io il ciuco
Dimmi quante formiche c'è in quel buco».
E il Guercio: «Lì dentro 'un ce n'è venti e neanche
    trenta
Lì dentro ce ne sta quante ce n'entra».
Remido: «Tu sei un gran furbo e te lo dico in viso
ma io ti ho chiesto il numero preciso».
«Precisamente sotto a quella zolla,
ce n'è ottomila; contale, e controlla.»
«Controlla te, che tu sei intelligente
perché a me, guarda, 'un me ne frega niente.»
«A dir 'un me ne frega si fa presto
dimmi allora perché tu me lo hai chiesto.»
Contrattacca Remido: «Te l'ho chiesto perché fa cal-
    do ad agosto
Il grullo tu sei te che m'hai risposto».
Conclude il Guercio: «Io sarò grullo a agosto, e 'un
    è un gran danno
Però te tu sei grullo tutto l'anno!».

Ventiquattro

Nel pozzo dei titani

Dove Dante sale in mano al gigante buono
e sembra antevedere il disastro del Vajont

Ora a Dante non resta che l'ultimo scalino verso il fondo dell'Inferno. L'estrema discesa al male assoluto. Le Malebolge, con il loro carico di morte e sofferenza, sono alle spalle. Davanti si spalanca una scena solenne e terribile.

«Quiv' era men che notte e men che giorno», c'era più luce che di notte e meno che di giorno: un eterno crepuscolo. L'oscurità è resa ancora più tetra dal suono cupo di un corno, più forte di qualsiasi tuono, più forte anche del corno di Orlando. Il riferimento è all'episodio drammatico della «Chanson de Roland»: il paladino, attaccato con i suoi tremila uomini a tradimento dai Saraceni a Roncisvalle, in una gola dei Pirenei, suona l'olifante per chiedere soccorso a Carlo Magno, con tanta forza e disperazione che gli si rompono le vene della gola e delle tempie. Il re si affretta, ma non arriva in tempo; e trova il fiore del suo esercito sterminato. (Gli storici assicurano oggi che i nemici non erano musulmani, ma baschi.) E non è un caso che Dante evochi la storia di un celebre agguato, di un'imboscata, per introdurre il luogo più remoto dell'Inferno, il regno dell'odio, dove sono puniti appunto i traditori.

Al poeta pare di vedere «molte alte torri». Però Virgilio, prendendolo «caramente» per mano, lo avverte: «Sappi che non son torri, ma giganti», che fanno la guardia all'ultimo cerchio. Come quando la nebbia si dissipa, svelando una a una le forme, così Dante avvicinandosi intravede in effetti «li orribili giganti», che spuntano dal pozzo infernale: si distinguono il volto, le spalle, il petto, e le braccia. Da lontano ricordano le torri di Monteriggioni, il borgo fortificato costruito dai senesi dopo la vittoria di Montaperti a vigilare la via per Firenze, e che ancora adesso impressiona chi percorre la malsicura strada tra le due splendide città toscane.

Non soltanto il mito greco, pure la Bibbia – nella Genesi – parla dei giganti. Dante crede alla tradizione, anche se la natura «lasciò l'arte/ di sì fatti animali»: di giganti non ne nascono più, a differenza degli elefanti e delle balene. Meglio così, scrive il poeta: se alla forza bruta e alla cattiva volontà si aggiunge l'intelligenza, allora «nessun riparo vi può far la gente», le persone non potrebbero avere scampo da quelle macchine da guerra. Secoli dopo, l'uomo pretende di sostituirsi alla natura; gioca a mescolare l'ingegneria genetica e l'intelligenza artificiale; e finirà per creare – come finora è accaduto solo in Blade Runner e in altri film – esseri bionici, che avranno come cervello il computer e come memoria la Rete. Saranno molto più forti e intelligenti di noi, sapranno molte più cose di noi; ed è importante che continuino a obbedirci.

Il primo gigante ha la faccia «lunga e grossa» come la pigna di bronzo – alta più di quattro metri – che Dante ha visto nell'atrio di San Pietro, oggi custodita nel giardino dei Musei Vaticani. Dall'ombelico in su, il colosso svetta tanto che se tre frisoni – tre abitanti della Frisia, considerati all'epoca gli uomini più alti del mondo – salissero uno sulle spalle dell'altro non gli arriverebbero «a la chioma», ai capelli.

Il nome del gigante è Nembrot: nella Bibbia è il re di Babilonia, che volle erigere la torre di Babele per arrivare fino al Cielo; e fu punito da Dio che confuse le lingue dei costruttori, affinché non si capissero più tra loro. A quel tempo gli uomini parlavano tutti la stessa lingua: secondo la tradizione, l'ebraico. Ma Dante – affascinato dal tema del linguaggio – ipotizza che l'idioma primigenio fosse un altro, appartenente all'era dell'unico impero, della concordia tra gli uomini, e quindi irrimediabilmente perduto. Così mette in bocca a Nembrot parole misteriose: «Raphèl maì amècche zabì almi». È da escludere però che siano suoni senza significato. Nembrot, come tutti gli altri guardiani dell'Inferno, ha forse lanciato un segnale d'allarme.

Secondo uno studioso di inizio Novecento, Domenico Guerri, il gigante parlerebbe una versione corrotta dell'ebraico, il cui significato sarebbe: «Giganti! Che è questo? Gente lambisce, tocca, la dimora santa». Di sicuro, Nembrot non può essere compreso, né comprendere quel che gli viene detto. Virgilio per due volte lo interpella invano – «anima sciocca», «anima confusa» –, e alla fine lo invita a sfogarsi suonando il corno.

Il secondo gigante è ancora più grosso e feroce. Dante lo chiama Fialte, abbreviando per ragioni metriche il nome originale: Efialte. Ha il braccio destro legato dietro la schiena, quello sinistro sul petto, e cinque giri di catena dal collo in giù. Sta pagando un'antica colpa: si ribellò agli dei, dichiarò guerra a Zeus, e con i compagni sovrappose le montagne una sull'altra per dare la scalata al Cielo. Ma le divinità, aiutate da Ercole, lo sconfissero; «le braccia ch'el menò, già mai non move»; ora è immobilizzato, e Zeus lo minaccia con il suo tuono, ricordandogli chi è che comanda.

Nell'ultimo cerchio è punito il tradimento supremo: la ribellione al potere legittimo, la rivolta contro la divinità; per questo i giganti ne sono custodi. Si chiamava Efialte – in greco, incubo – anche il pastore che tradì Sparta, rivelando ai Persiani il sentiero per aggirare le Termopili, e sorprendere alle spalle i trecento guerrieri di Leonida. Il suo nome ricorre in una splendida poesia – intitolata appunto «Termopili», e dedicata al tema eterno della codardia e del valore – di Konstantinos Kavafis. Greco di Alessandria d'Egitto, dove morì il 29 aprile 1933, il giorno del suo settantesimo compleanno, Kavafis ha scritto di amori omosessuali, ma anche dell'amore tra madre e figlio – «il mio il tuo/ queste fredde parole/ da noi mai pronunciate» –, e degli antichi eroi della sua patria ideale, la Grecia.

> Onore a quanti in vita
> si ergono a difesa di Termopili.
> Mai che dal dovere essi recedano,
> in ogni circostanza giusti e retti,
> agendo con pietà, con tenerezza,
> generosi se ricchi, generosi
> quanto possono se poveri,
> sempre aiutando secondo i loro mezzi

e sempre veritieri, ma senz'astio
verso coloro che mentono.

E un onore più grande gli è dovuto
se prevedono (e molti lo prevedono)
che spunterà da ultimo un Efialte
e i Medi finiranno per passare.

Proprio come un turista curioso, Dante chiede a
Virgilio di portarlo ancora in giro. Vorrebbe vedere
– «s'esser puote», se si può – un altro gigante, Briareo,
di cui ha letto che ha cinquanta teste e cento braccia.
Ma, proprio come una guida frettolosa, Virgilio risponde che non c'è tempo: Briareo è troppo lontano;
e poi «è legato e fatto come questo», è insomma simile a Fialte, anche se più feroce nel volto. In compenso
Dante potrà vedere Anteo, che a differenza di Nembrot
parla, e a differenza di Fialte non è incatenato, poiché
– essendo nato dopo – non ha partecipato alla rivolta
contro gli dei. Sarà lui a deporre i due poeti sul fondo
dell'Inferno. Ma mentre si allontanano, Fialte tenta di
sciogliersi per colpirli, e si agita come una torre scossa dal terremoto; «allor temett' io più che mai la morte» scrive Dante.
  Per fortuna le catene reggono, e i poeti si avvicinano ad Anteo. È talmente alto che spunta dalla parete rocciosa del pozzo per «cinque alle», antica misura
fiamminga che corrisponde a più di sette metri. Virgilio si procura la sua benevolenza, dicendogli in so-
stanza: o tu che vivesti nella «fortunata valle» dove
Scipione mise in fuga Annibale – infatti Anteo abita-

va presso Zama, dove si combatté la battaglia decisiva della seconda guerra punica –; o tu che «recasti già mille leon per preda» – si racconta che Anteo si cibasse di carne di leone –; o tu che, «se fossi stato a l'alta guerra/ de' tuoi fratelli», se avessi partecipato all'assalto al Cielo, avresti dato la vittoria ai giganti; «mettine giù», portaci in fondo al pozzo infernale, «dove Cocito la freddura serra», dove il gelo fa ghiacciare la palude di Cocito.

In cambio Virgilio assicura ad Anteo che Dante può dargli quel che più bramano i dannati e i loro custodi: la fama. Infatti parlerà e scriverà di lui, ristabilendo nel mondo la sua memoria. Perché «el vive, e lunga vita ancor aspetta/ se 'nnanzi tempo grazia a sé nol chiama»; Dante è ancora vivo, e vivrà ancora a lungo, se Dio non lo chiamerà a sé prima del tempo.

Allora Anteo distende le sue mani, di cui Ercole sentì la stretta. Quando i due si sfidarono, l'eroe si unse il corpo di olio per sfuggire alla presa del gigante, che invece si cosparse di sabbia calda. Ercole si accorse che in effetti Anteo – figlio di Gea, la Terra – riprendeva forza ogni volta che toccava il suolo, cioè sua madre; e per soffocarlo dovette tenerlo sollevato. È una storia che Dante cita anche nel Convivio, come segno del legame che unisce i corpi al luogo che li ha generati: tutti abbiamo bisogno di tenere i piedi per terra, se possibile sulla nostra terra; nel suo caso, la Firenze che tanto gli mancherà durante l'esilio.

Anteo prende con delicatezza Virgilio, che abbraccia Dante. Ma quando il poeta vede il gigante chinarsi sopra di lui, ha un momento di terrore. Si sente come chi, a Bologna, guarda la torre della Garisenda dalla parte dove è inclinata, mentre su di lei corre una nuvola nel senso inverso alla sua inclinazione; allora ha l'impressione che la torre gli stia cadendo addosso. Invece Anteo depone Dante e Virgilio sul fondo del pozzo, dove sono imprigionati Lucifero e Giuda; «e come albero in nave si levò», si alza dritto e grande come l'albero della nave. Nel frattempo a un lettore contemporaneo, che ami Bologna, sarà tornato in mente l'attacco di una delle più belle canzoni di Francesco Guccini, Scirocco, in cui le torri non sembrano sul punto di crollare, anzi; in un effetto ottico opposto, che si può apprezzare da via dei Giudei, dove c'è la storica libreria Feltrinelli, sembrano «alzarsi in un largo gesto barocco».

Sceso nel «tristo buco», nel pozzo dei traditori, Dante si sente arrivato nel fondo dell'universo, su cui si reggono tutte le rocce dell'Inferno, tutti i mali del mondo. Qui, per la prima volta, avverte che il talento non lo soccorre, le parole gli vengono meno. Si dichiara impotente a raccontare quel che vede. Gli mancano «le rime aspre e chiocce», i versi duri e stridenti, necessari a restituire un luogo così totalmente disanimato. Non è certo con una «lingua che chiami mamma o babbo», con le frasi inesperte di un bambino, che si può tentare un'impresa letteraria tanto estrema.

Così Dante torna a chiedere soccorso alle Muse, le ispiratrici che aiutarono il poeta Anfione a compiere un prodigio: far scendere dal monte Citerone le pietre per costruire, al suono della sua cetra, le mura di Tebe. Anfione insomma fortificò una città solo con la forza del suo canto.

Non è un caso che qui, in fondo all'abisso, sia evocata proprio Tebe, considerata nell'età classica la culla di ogni vizio ed efferatezza: Edipo che assassina il padre e sposa la madre; i due gemelli, Eteocle e Polinice, che si uccidono l'un l'altro; Tideo – uno dei sette re ad attaccare la città – che, ferito a morte, prima di spirare divora la testa dell'avversario ucciso, Melanippo. Ora Dante sta per costruire con i suoi versi una nuova Tebe, forse ancora più terribile di quella del mito. E racconterà un'altra scena di antropofagia, un nuovo Tideo: un personaggio – destinato a diventare tra i più noti del poema – che rode il cranio del nemico.

Qui giace la «sovra tutte mal creata plebe», i dannati puniti nel modo più severo, che hanno perso completamente la loro umanità; poiché tradirono quanto di più nobile c'è nell'uomo, l'amore. Meglio avrebbero fatto a nascere pecore o capre, scrive Dante.

Una voce senza volto lo avverte: attento a non calpestare le teste di questi miserabili. Il poeta si guarda attorno, e vede «un lago che per gelo/ avea di vetro e non d'acqua sembiante». È il Cocito, la palude infernale, dalla superficie lucida come vetro. Qui il ghiaccio è più spesso di quello che d'inverno ricopre il Danubio, in Austria, e il Don (che Dante chiama Tanai, come farà Alessandro Manzoni nel Cinque maggio) «sotto 'l freddo cielo» della Russia. Non c'è in Italia un luogo così gelido; per darne un'idea il poeta deve evocare i grandi ghiacci del Nord.

Ecco un altro saggio della genialità e dell'originalità di Dante. Altri scrittori avevano provato a immaginare l'Inferno: ad esempio Marcus, il monaco irlandese che duecento anni prima aveva scritto la «Visio

Tnugdali». È la storia di un cavaliere, Tnugdalo, caduto durante un banchetto in uno stato di morte apparente durato tre giorni, durante i quali visita l'aldilà, e vede Lucifero giacere sopra una graticola arroventata da una fiamma eterna. Dante ha letto l'opera, scritta in latino, e ne è rimasto colpito. Però immagina che il cuore dell'Inferno non sia di fuoco, bensì di ghiaccio, simbolo dell'odio. Al contrario, l'Empireo dove risiede Dio è un lago di luce infuocata, segno dell'amore supremo.

L'ultimo cerchio è diviso in quattro zone. La Caina – dove sono puniti i traditori dei parenti – prende il nome dal primo omicida della storia, che uccise a bastonate il fratello Abele. «Caina attende chi a vita ci spense» ha detto a Dante Francesca da Rimini: l'ultimo cerchio dell'Inferno aspetta Gianciotto, che assassinò la moglie e il fratello Paolo.

La seconda zona, dove giacciono i traditori della patria, è l'Antenora: da Antenore, il troiano additato da molti autori classici e medievali come traditore, per aver consegnato a Ulisse e Diomede il palladio o per aver aperto il pertugio del cavallo di Troia da cui uscirono i Greci; non a caso Antenore ebbe salva la vita, e con i suoi familiari raggiunse il Veneto, dove fondò Padova (e dove secondo la leggenda è sepolto).

La terza, che custodisce i traditori degli ospiti, si chiama Tolomea: come il re d'Egitto che accolse Pompeo in fuga, ma per compiacere Cesare gli fece tagliare la testa e la consegnò al vincitore (che però scoppiò in lacrime). Tolomeo è anche un personaggio della Bibbia, che invitò a banchetto il suocero Simone Maccabeo con i figli Matafia e Giuda, e li fece uccidere. La quarta zona, la Giudecca, dove languono coloro che tradirono i benefattori, prende il nome dall'uomo che baciò Gesù per indicarlo ai carnefici: Giuda.

Per far capire quanto sia resistente il ghiaccio del lago infernale, Dante scrive che se vi fossero cadute dentro due montagne delle Alpi Apuane, Tambernicchi e Pietrapana, «non avria pur da l'orlo fatto cricchi»: non avrebbe fatto cric neppure sul bordo, dove il ghiaccio è più sottile. E qui Dante pare quasi antevedere, senza saperlo, una delle tragedie più incredibili e atroci della storia italiana.

Oltre sei secoli dopo, una montagna cadde davvero in un lago; e sollevò un'onda che spazzò via un paese, Longarone. È il disastro passato alla storia come il Vajont, dal nome della diga che aveva formato l'invaso.

Accanto a 1917 corpi, la valanga d'acqua trascinò per 42 chilometri, sino a Feltre, cose e simboli di un'Italia che stava già scomparendo, e ora non esiste più. Caldiere di rame, gerle, barili in doghe di larice, mastelli del latte con il nome del proprietario; frammenti di casere, pievi, baite; campane, teste della Vergine, braccia levate di santi. A Longarone le chiese erano sei (San Cristoforo, San Liberale, Santa Maria Immacolata, San Tommaso, San Francesco, Santi Nicola Antonio Domenico); ricostruite, due. A Erto, sopra la diga, le osterie erano venti; ne restano tre, il cliente più affezionato è Mauro Corona, lo scrittore, che vive qui. Il cinema del paese non c'è più. Ci sono invece, sulla strada che da Ponte nelle Alpi risale il corso del Piave, la strada che i soccorritori percorsero a piedi in un paesaggio lunare, i cartelloni pubblicitari della pizzeria Pulcinella, di un sexy shop, di un frutteto biologico.

La diga del Vajont, la più alta al mondo, rappresentò uno dei simboli della modernità, che altrove si chiamò sviluppo e in Italia miracolo. La catastrofe del Vajont ne segnò la fine, o almeno ne concluse la fase più impetuosa. In quell'autunno del 1963 si celebravano, nella grande fossa in cui gli alpini calavano bare semivuote, le esequie dell'Italia arcaica, contadina, solidale. Sotto croci bianche erette frettolosamente si seppellivano resti di contadine delle valli vestite di nero, e di ragazzine di paese con le gonne bianche sino ai piedi. L'acqua e il fango del Piave tornavano a custodire i resti di un'altra epopea italiana, nascondevano per sempre la civiltà montanara e i riti borghesi della piccola capitale della valle, Longarone, con le pasticcerie, le vetrine, il passeggio in piazza.

Oggi non ci sono più piazze a Longarone. L'Italia, dove è nuova, appare sempre una periferia, anche quando si è in centro. L'ultima mattina, nella scuola elementare entrarono 197 bambini. Quando riaprì, pochi giorni dopo, erano quaranta. Di quattordici maestre restavano la signora Pais e la signora Pratti, più il maestro Tormen: la sua classe, la quarta maschile, festeggiava un compleanno in una casa vicino alla diga, lui era invitato ma non era potuto andare; non gli rimase un solo allievo.

Nella biblioteca del paese si custodiscono migliaia di telegrammi di cordoglio giunti da tutto il mondo, tra cui quello di John Fitzgerald Kennedy, cui restava poco più di un mese.

La polemica fu durissima. Il monte franato nel lago si chiama Toc, quello a fianco si chiama Salta: non era il posto giusto per costruire una diga.

Fu scritto un tariffario con le offerte di risarcimento: «Al genitore per la perdita del figlio unico: 2 milioni; al genitore per la perdita di un figlio con altri 2 fratelli: 1 milione e 500.000; al genitore per la perdita di un figlio con altri 3 fratelli: 1 milione». I superstiti si divisero tra chi accettò i soldi e chi diede battaglia. La ditta proprietaria della diga, la Sade, per risparmiare ricorse a una figura giuridica che i contadini non avevano mai sentito nominare, la «commorienza»: se padre e figlio muoiono insieme, l'eredità non si trasmette; quindi nulla è dovuto al nipote.

Venticinque

Lo scalpo del traditore

Dove Dante si muove sul ghiaccio e scotenna
il cattivo di Montaperti

In fondo all'Inferno, i traditori sono confitti nel ghiaccio, fino al collo. Come d'estate le rane gracidano con il muso fuori dall'acqua, così le facce livide spuntano dalla crosta di vetro. Ma ognuna ha lo sguardo rivolto verso il basso – il traditore evita lo sguardo altrui –, e per il freddo batte i denti, come la cicogna il becco. (Per indicare la stagione estiva, Dante scrive: «Quando sogna/ di spigolar sovente la villana», quando la contadina sogna spesso di spigolare, di raccogliere nel campo le spighe lasciate dai mietitori. Questo perché, nei momenti di grande sforzo fisico o emotivo, tutti noi talora sogniamo di proseguire nottetempo quel che abbiamo fatto di giorno.)

Il poeta nota due dannati così avvinti tra loro, che pure i capelli sono intrecciati. Sono due fratelli. Si sono uccisi l'un l'altro, e per contrappasso sono condannati a restare per l'eternità fianco a fianco, accomunati non dall'amore ma dall'odio.

Dante vuol conoscere i loro nomi. I due alzano il viso per guardarlo, ma gli occhi, che prima erano molli di pianto, lasciano cadere sulle labbra le lacrime; e subito il gelo le indurisce tra le palpebre, che si incollano tra loro. Così, infuriati per il dolore improvviso, i due infelici fratelli cozzano tra loro le teste, come caproni; e pare quasi di sentire il rumore secco delle fronti che si scontrano.

A rivelarne l'identità è un altro peccatore, che per il gelo ha perduto le orecchie. Ma prima rimprovera il poeta: «Perché cotanto in noi ti specchi?», perché ci guardi così insistentemente, quasi specchiandoti nei nostri volti? Dante infatti vede i visi dei traditori riflessi nel lago ghiacciato. I due fratelli sono Napoleone e Alessandro degli Alberti. Si batterono tra loro per alcuni castelli di famiglia nella valle del Bisenzio, il fiume che passa accanto a Prato prima di sfociare nell'Arno. Due uomini usciti dallo stesso corpo, dalla stessa madre, si uccisero a vicenda per il possesso di qualche torre e di qualche muro smozzicato. Per questo, aggiunge il dannato, «non troverai ombra/ degna più d'esser fitta in gelatina»: una metafora carica di sarcasmo, perché qui non esiste pietà, esistono solo disprezzo e delazione. Così il peccatore senza orecchie offre a Dante un catalogo degli altri traditori puniti tanto orribilmente.

Ci sono personaggi del mito e altri della storia. C'è Mordret, il figlio di re Artù, che si ribellò al padre: Artù lo uccise trapassandogli il petto; secondo la leggenda, quando la lancia fu estratta, attraverso la ferita passò un raggio di sole; così Dante scrive che al traditore «fu rotto il petto e l'ombra». E ci sono malfattori della Toscana del tempo.

Dante compone un breve ma denso catalogo di personaggi familiari ai suoi contemporanei: un monito sugli esiti sanguinosi delle rivalità che da sempre e ancora oggi dividono le famiglie e i clan, non solo in Toscana.

Quello è Vanni dei Cancellieri, detto Focaccia, uno della banda dei giovani degenerati di Pistoia di cui faceva parte anche Vanni Fucci, il ladro sacrilego: i cronisti medievali gli attribuiscono ogni sorta di nequizie; chi lo accusa di aver assassinato il padre, chi lo zio, chi il cugino. Quell'altro è Sassol Mascheroni, che uccise a tradimento un ragazzo, figlio di suo zio, per sottrargli l'eredità: scoperto, fu chiuso in una botte chiodata che venne fatta rotolare per le vie di Firenze, prima di essere decapitato.

Ma lui, il dannato che fa da cicerone, chi è? Per prevenire la domanda di Dante, si presenta da sé: il suo nome è Alberto dei Pazzi, ma tutti lo conobbero come Camicione. Si scontrò con un familiare, Ubertino, sempre per il possesso di alcune fortezze: gli diede appuntamento, gli cavalcò incontro nascondendo un coltello, e lo colpì più volte, sino a ucciderlo. Ora, dice Camicione, «aspetto Carlin che mi scagioni»: attende cioè un altro parente, che si è macchiato di un delitto ancora più orribile; e la maggior colpa potrebbe far passare in secondo piano la sua. «Carlin» è Carlo dei Pazzi, che accolse nel suo castello di Piantravigne, in Valdarno, molti Bianchi fuoriusciti da Firenze; ma poi li vendette ai Neri per denaro, consegnandoli a morte certa.

L'incontro più tremendo, però, deve ancora venire. Dante sta per conoscere il «suo» traditore, l'uomo che ha rischiato di far scomparire per sempre la città che il poeta continua nonostante tutto a considerare la sua patria, e ad amare.

Tutto attorno si vedono «mille visi cagnazzi», bluastri; Dante è preso dal ribrezzo, dalla ripulsa per la palude ghiacciata; e quella sensazione non lo abbandonerà più. Qui forse emerge il ricordo del terribile inverno tra il 1302 e il 1303, il primo dell'esilio, segnato da un'ondata di freddo eccezionale, che fece ghiacciare l'Arno.

Mentre, tremando per il gelo eterno, va verso il centro del lago, «passeggiando tra le teste» Dante ne colpisce una con il piede, in pieno viso. Non sa dire se è accaduto per volontà sua, o della Provvidenza divina, o della sorte; forse per tutte e tre le cose insieme. Il dannato reagisce e nello stesso tempo si tradisce: «Perché mi peste? / se tu non vieni a crescer la vendetta/ di Montaperti, perché mi moleste?».

A sentir parlare di Montaperti, della storica sconfitta fiorentina, Dante perde la calma e il controllo di sé. Per la prima e ultima volta è lui a dire a Virgilio, e anche abbastanza seccamente, quello che si deve fare: «Maestro mio, or qui m'aspetta,/ sì ch'io esca d'un dubbio per costui;/ poi mi farai, quantunque vorrai, fretta»; aspettami qui, perché devo togliermi un dubbio su quest'uomo; poi mi farai tutta la fretta che vorrai.

Ora inizia un duello di parole breve ma durissimo. Dante aggredisce il dannato: «Qual se' tu che così rampogni altrui?», chi sei tu che rimproveri gli altri? Quello insiste: «Or tu chi se' che vai per l'Antenora,/ percotendo ... altrui le gote ...?», chi sei tu che colpisci gli altri in faccia? Dante, preso dalla curiosità, cerca allora di ingraziarsi il malvagio, offrendogli, «se dimandi fama», di parlare di lui nel mondo. Ma l'altro lo respinge: «Del contrario ho io brama./ Lèvati quinci e non mi dar più lagna». In questo cerchio non vale la regola consueta: i peccatori non vogliono essere ricordati, vogliono essere dimenticati.

Qui Dante fa un'altra cosa che non ha fatto mai: aggredisce il dannato, lo prende «per la cuticagna», per la collottola, gli tira i capelli, minaccia di scotennarlo se non rivelerà il suo nome. Quello si rifiuta: non lo dirà, neanche se Dante dovesse colpirlo in testa mille volte. Il poeta ha i capelli del traditore girati intorno alla mano, ne ha già strappata «più d'una ciocca», mentre lui sta latrando come un cane, quando un altro dannato interviene: «Che hai tu, Bocca?/ non ti basta sonar con le mascelle,/ se tu non latri? qual diavol ti tocca?».

Ecco chiarito il mistero: la patria tradita è Firenze, e il traditore è Bocca degli Abati. Pare quasi che Dante voglia rivelare o confermare ai concittadini il nome dell'assassino, del colpevole. A Montaperti, Bocca combatteva nella cavalleria fiorentina; nessuno sapeva o sospettava che si fosse venduto al nemico. Ma all'improvviso mozzò con la spada il braccio del portastendardo, Iacopo dei Pazzi, che reggeva il gonfalone di Firenze. Vedendo abbattuta l'insegna, i cavalieri e i fanti ondeggiarono, furono travolti dalla schiera dei tedeschi, dei senesi e degli altri ghibellini, e non opposero al grande massacro altra resistenza che la fuga.

Generazioni di lettori e commentatori si sono sorprese e talora scandalizzate per la furia di Dante, che si accanisce su un'ombra che non si può difendere. Lo stesso Natalino Sapegno, il grande critico, parla di una «pagina sconcertante». Altri si indignano per la sua «medievale ferocia», per il cedimento a un istinto di odio e vendetta personale. Ma, a parte il fatto che Dante non è uomo di buon carattere, tutta la Divina Commedia è un lungo fatto personale. Il poeta sta parlando di sé, di noi; della storia italiana, delle tragedie dell'umanità. Sempre, a ogni incontro, mette in gioco se stesso, è coinvolto in prima persona, piange, s'indigna, sviene; e ci coinvolge. Al vincitore di Montaperti, al capo nemico, Farinata, ha riconosciuto grandezza e dignità d'animo. Ma per il traditore di Montaperti, per l'uomo che nell'ora della battaglia si è rivoltato contro la sua stessa patria, e addirittura contro la bandiera, Dante non può avere nessuna pietà.

Così torna ad attaccarlo: «Omai ... non vo' che più favelle,/ malvagio traditor; ch'a la tua onta/ io porterò di te vere novelle»; non voglio più che parli, perché a tua vergogna racconterò su di te la verità. Dimostrando la propria bassezza morale, Bocca non dà segno di pentimento, non perde la propria aria arrogante di sfida – «va via, e ciò che tu vuoi conta» –, e si vendica sull'anima che ha parlato, rivelando il suo nome.

Il dannato che ha indicato Bocca a Dante è Buoso da Duera, signore di Cremona, ghibellino. Il re Manfredi l'aveva incaricato di resistere all'esercito di Carlò d'Angiò; ma corrotto con il denaro – «l'argento de' Franceschi» – lasciò passare i francesi senza dare battaglia.

A completare la delazione, Bocca aggiunge altri nomi che il poeta potrà dire di aver visto «là dove i peccatori stanno freschi» (stai fresco: ecco un'altra invenzione dantesca entrata nel linguaggio comune). Sono tre personaggi della cronaca del tempo.

Il primo è Tesauro dei Beccheria, legato di Papa Alessandro IV a Firenze: tradì il Pontefice e i guelfi accordandosi con i ghibellini, per farli rientrare; scoperto, fu decapitato. «Fiorenza», scrive Dante, ne «segò la gorgiera».

Il secondo è Gianni dei Soldanieri. Era un ghibellino, ma quando – dopo la morte di Manfredi – il popolo di Firenze attaccò i partigiani dell'Impero rimasti in città, Gianni si mise alla testa della plebaglia, tradendo la propria gente; il che non lo salvò dall'esilio.

Il terzo è Tebaldello degli Zambrasi, ghibellino di Faenza, che in una notte del novembre 1280 consegnò la sua città ai guelfi bolognesi, aprendo con le sue stesse mani la porta che dava sulla via Emilia.

Pare difficile da credere che fosse tanto intricata la vita politica nelle città italiane; ma proprio per questo Dante avverte così forte lo sdegno per le guerre civili. Qui denuncia in particolare l'egoismo che porta a tradire la patria, i parenti, gli amici, la legge morale, pur di perseguire l'interesse privato, pur di conquistare ricchezza e potere per sé. Come oggi fanno le famiglie mafiose; e non soltanto loro.

Accanto ai contemporanei, nel lago ghiacciato troviamo anche un traditore preso dalla letteratura, in particolare dalla «Chanson de Roland»: Gano di Magonza, che a Roncisvalle consegnò il paladino Orlando ai nemici. È l'unico personaggio che dica ancora qualcosa a noi lettori di oggi; come se Dante avesse presagito la durata nei secoli del suo poema, e avesse pensato di rivolgersi, oltre che agli uomini del suo tempo, alle generazioni future.

Ma l'Inferno non può finire qui. Non può finire con un elenco di puri nomi, di vizi infiniti, di peccatori confinati nel mito, nei libri, o in una precisa epoca storica.

Dante sta per fare il suo ultimo incontro; destinato a diventare uno dei più celebri della storia. E lo descriverà non più con le rime «aspre e chiocce»; ma con il grande linguaggio della tragedia.

Ventisei

Il fiero pasto del conte

Dove Dante rivede il volto dei suoi quattro figli,
e scopre che nel corpo di Branca Doria c'è un diavolo

Nella stessa fossa, scavata nel ghiaccio, ci sono due uomini. Uno divora il cervello dell'altro, azzannandolo alla nuca, «come 'l pan per fame si manduca»; con la stessa avidità con cui si mangia il pane quando si ha fame.

Dante ovviamente vuole sapere. Ma ha imparato che è inutile chiedere al peccatore il suo nome. È vano offrirgli di ristabilire la sua memoria nel mondo. L'unico patto possibile è quello stipulato in nome dell'odio. Così gli propone di raccontare quale colpa abbia commesso l'altro contro di lui; in cambio, se non gli si secca la lingua, Dante svelerà a tutti quel crimine punito in modo così atroce.

«La bocca sollevò dal fiero pasto»: il dannato interrompe per un attimo il suo pasto feroce, pulendosi la bocca con i capelli del nemico. E dice: «Tu vuo' ch'io rinovelli/ disperato dolor...», tu vuoi che rievochi e rinnovi un dolore che mi opprime già solo al pensiero, prima ancora di parlarne.

L'incipit è lo stesso con cui, nel poema di Virgilio, Enea comincia a raccontare a Didone la caduta di Troia. Ma assomiglia molto anche alle parole con cui Francesca inizia a narrare il suo amore infelice per Paolo: «Nessun maggior dolore/ che ricordarsi…». Eppure lei non si sottrae: «Dirò come colui che piange e dice». Allo stesso modo, il dannato della buca ghiacciata avverte Dante: «Parlare e lagrimar vedrai insieme».

C'è un parallelismo tra il primo e l'ultimo incontro dell'Inferno. Ma se Francesca parla in nome dell'amore, che ancora non la abbandona, qui nell'ultimo cerchio si parla in nome dell'odio.

Il peccatore si presenta: «Tu dei saper ch'i' fui conte Ugolino,/ e questi è l'arcivescovo Ruggieri:/ or ti dirò perché i son tal vicino». È Ugolino della Gherardesca, signore di Pisa. Ghibellino in gioventù, passato ai guelfi, accusato più volte di tradimento, strinse un accordo con il capo della fazione avversa: l'arcivescovo Ruggieri degli Ubaldini. Ma l'accordo fu presto stracciato. Le grandi famiglie ghibelline aizzarono il popolo contro il conte, lo accusarono di aver ceduto a Firenze e a Lucca alcune roccaforti pisane, e lo imprigionarono, lasciandolo morire di fame.

Era il marzo 1289: undici anni prima del viaggio ultraterreno di Dante. L'emozione per quella fosca vicenda era ancora viva in Toscana. Infatti Ugolino, riconosciuto l'accento fiorentino del poeta, dà per scontato che lui la conosca; «però quel che non puoi avere inteso,/ cioè come la morte mia fu cruda,/ udirai, e saprai s'e' m'ha offeso»; ora sentirai quanto sia stata crudele la mia morte, quanto mi abbia offeso l'arcivescovo, che ora patisce la giusta vendetta.

Con il conte erano stati fatti prigionieri due suoi figli, Gaddo e Uguccione, e due nipoti, figli del suo primogenito Guelfo II: Anselmuccio e Nino. Lui li chiama tutti «figliuoli», e ne parla come fossero ragazzi, anche se almeno due erano già adulti. Erano stati rinchiusi nella torre detta della Muda, perché nel periodo della muta delle penne vi erano custodite le aquile, simbolo dell'Impero e dell'orgoglio ghibellino di Pisa; ma ora – racconta Ugolino – a causa sua è chiamata la torre della fame.

Una feritoia aveva già lasciato filtrare la luce di molte lune, erano insomma passati diversi mesi, quando il conte fece il cattivo sogno che gli rivelò il futuro. L'arcivescovo Ruggieri era la guida e il capo di una partita di caccia. Con lui c'erano le casate ghibelline – i Gualandi, i Sismondi, i Lanfranchi – e il popolino, rappresentato da cagne magre, bramose, ammaestrate. La preda erano «il lupo e ' lupicini», Ugolino e i suoi ragazzi, che tentavano una fuga sul monte che separa Pisa e Lucca, ma venivano braccati e azzannati ai fianchi dai denti aguzzi delle cagne.

Il conte si svegliò di soprassalto, prima che sorgesse il nuovo giorno; sentì i figlioli piangere nel sonno, e chiedere del pane. A questo punto Ugolino interrompe il racconto, sopraffatto dalla sofferenza, e cerca la solidarietà di Dante, e del lettore: «Ben se' crudel, se tu già non ti duoli/ pensando ciò che 'l mio cor s'annunziava;/ e se non piangi, di che pianger suoli?»; se non piangi per questo, per che cosa piangi?

Già i figlioli erano svegli, e si avvicinava l'ora in cui veniva portato il cibo; anche se ognuno in cuor suo ne dubitava, perché tutti erano stati visitati da sogni premonitori. Infatti si sentì inchiodare la porta «a l'orribile torre»: un rumore lontano, in fondo alle scale, ruppe il silenzio, e annunciò una terribile agonia. Ugolino fissò i ragazzi in viso, senza dire una parola. Non riuscì a confortarli in nessun modo; divenne come di pietra.

«Tu guardi sì, padre! che hai?» chiese Anselmuccio; perché ci guardi così, padre, cos'hai? Ma il conte restò muto per tutto il giorno e per tutta la notte.

Finché il sole tornò ad affacciarsi «nel doloroso carcere, e io scorsi/ per quattro visi il mio aspetto stesso» racconta. Non c'è nulla di più dolce che riconoscere i propri lineamenti, e quelli della persona amata, nei figli e nei nipoti; ma quel mattino il conte vede riflesse nei quattro visi la sua stessa magrezza, la sua stessa disperazione.

Anche Dante ha quattro figli. Tre maschi e una ragazza, Antonia, che diventerà suora con il nome di Beatrice. Anche Dante si sente responsabile della loro sorte, delle privazioni imposte dall'esilio. Se fosse stato meno orgoglioso, se si fosse assunto colpe che non aveva, forse avrebbe risparmiato ai figli sofferenze e umiliazioni. Questo pensiero deve tormentarlo, mentre ascolta l'atroce racconto.

Nella torre ormai sbarrata, Ugolino si morse entrambe le mani per il dolore; ma i ragazzi, pensando che lo facesse per fame, si levarono tutti e quattro, «e disser: "Padre, assai ci fia men doglia/ se tu mangi di noi: tu ne vestisti/ queste misere carni, e tu le spoglia"». I figli si offrono come cibo al padre: sarebbe per loro minor dolore che vederlo mangiare se stesso. Un gesto d'amore che solo un fanciullo può immaginare.

Ugolino si calmò, «per non farli più tristi;/ lo dì e l'altro stemmo tutti muti;/ ahi dura terra, perché non t'apristi?». Il quarto giorno Gaddo gli si gettò ai piedi, dicendo: «Padre mio, ché non m'aiuti?». Un grido che ricorda quello di Gesù sulla croce: «Dio mio, perché mi hai abbandonato?». Gaddo fu il primo a morire. Gli altri caddero uno a uno, tra il quinto e il sesto giorno. Allora il conte perse il controllo di sé, e per due giorni – ormai cieco – brancolò sui corpi dei ragazzi, chiamando i loro nomi, come per risvegliarli. «Poscia, più che 'l dolor, poté 'l digiuno.»

Da sempre e per sempre si discuterà su quello che sia accaduto «poscia», dopo. Se Dante avesse voluto dirlo esplicitamente, l'avrebbe fatto. Ma non l'ha neanche voluto escludere. Tutte le ultime terzine dell'Inferno, quelle ambientate nel Cocito ghiacciato, sono segnate dall'idea di mangiare, mordere, masticare, rodere. I cronisti del tempo confermano l'ipotesi più terribile: «Si trovò che 'll'uno mangiò de le carni all'altro». Ma è più importante notare un'altra cosa. Anche il racconto di Ugolino non finisce, resta sospeso. «Più che 'l dolor, poté 'l digiuno» vale il «quel giorno più non vi leggemmo avante» di Francesca. Tutto è lasciato all'immaginazione del lettore: là tra i lussuriosi l'amore, la passione, la perdizione; qui fra i traditori, l'odio, la fame, l'aberrazione.

Dopo aver ascoltato Francesca, Dante cadde «come corpo morto cade». Ma quando Ugolino finisce di parlare, e torna a rodere animalescamente il teschio del suo nemico con denti forti come quelli di un cane, il poeta sfoga l'intensità dei propri sentimenti con un'invettiva di sapore biblico. Il bersaglio è l'intera Pisa, «vituperio de le genti»: Dante arriva ad auspicarne la distruzione. Poiché i vicini -- compresi i fiorentini – tardano a punirla, si muovano la Capraia e la Gorgona, le isole del Tirreno, e blocchino la foce dell'Arno, in modo che le acque anneghino «ogne persona»; ognuno è infatti responsabile delle guerre civili, e del modo barbaro in cui sono stati uccisi non solo il conte Ugolino, forse colpevole, ma anche i suoi quattro ragazzi, certo innocenti.

È l'odio tra le fazioni la rovina dell'Italia del tempo, e della vita di Dante. Prima di lasciare l'Inferno, condannerà pure la grande rivale di Pisa, Genova, che proprio al tempo del conte Ugolino l'aveva sconfitta nella battaglia navale della Meloria; per poi lasciar morire di fame i prigionieri, ammassati nella piazza che si chiama oggi Campo Pisano.

Gli incastri della memoria ci riportano ora ad Auschwitz. Ci siamo detti, raccontando la storia di Ulisse, che il massimo della crudeltà e il massimo della nobiltà d'animo possono coesistere nello stesso momento e nello stesso luogo: il comandante del lager che condanna dieci prigionieri alla morte per fame; e padre Massimiliano Kolbe che chiede e ottiene di sacrificarsi al posto di un padre di famiglia.

Dopo due settimane di agonia, senza acqua né cibo, sei condannati erano morti di stenti; ma quattro erano ancora vivi, e continuavano a pregare e cantare inni alla Madonna. Padre Kolbe era tra loro. Persino le SS rimasero turbate dalla forza morale del sacerdote. Si decise di uccidere lui e i suoi compagni con un'iniezione di acido fenico. Era il 14 agosto 1941, vigilia della festa dell'Assunta. I loro corpi furono cremati, le ceneri disperse. Al kapò che gli praticava l'iniezione, padre Kolbe disse: «Lei non ha capito nulla della vita. L'odio non serve a niente. Solo l'amore crea». Una frase – «solo l'amore crea» – ripetuta dal Papa bresciano, Paolo VI, che beatificò Massimiliano Kolbe.

Il padre di famiglia da lui salvato si chiamava Franciszek Gajowniczek. Sopravvisse ad Auschwitz, tornò a casa, ritrovò la moglie; i due figli erano morti sotto un bombardamento.

Ancora scosso per il dramma del conte Ugolino, Dante però non può indugiare. Già Virgilio lo conduce nella Tolomea, dove sono puniti i traditori degli ospiti. Anche loro sono prigionieri del ghiaccio, ma la testa non è piegata in avanti, bensì girata all'indietro. «Lo pianto stesso lì pianger non lascia»: il pianto impedisce loro di piangere, perché le lacrime si congelano, e formano un nodo, «come visiere di cristallo», che riempie l'intera cavità dell'occhio. Così il dolore non trova sfogo, e si ripiega in se stesso, ad accrescere l'angoscia.

Dante si stupisce di sentire sulla pelle un'aria gelida: se nell'oltretomba non c'è il sole, come può esserci vento, che il calore trae dall'umidità della terra? Virgilio gli risponde che presto capirà la ragione di quello strano fenomeno.

È allora che i due poeti si sentono chiamare: «O anime crudeli», che siete avviate in fondo all'Inferno, «levatemi dal viso i duri veli». È un dannato che implora di avere gli occhi liberi dalle lacrime ghiacciate, per poter piangere, almeno un poco.

Dante finge di assecondarlo: dica chi è, e lui lo aiuterà; se mai non lo facesse, meriterà di andare davvero in fondo all'Inferno. In realtà, si tratta di un inganno: il poeta deve comunque completare il suo viaggio, e visitare anche l'ultima zona, sino all'incontro con Lucifero; quindi non ha assunto alcun impegno verso il dannato. E il traditore è destinato a essere tradito.

Il suo nome è frate Alberigo. È uno dei frati gaudenti che abbandonarono le virtù francescane per il potere. Alberigo, capo dei guelfi di Faenza, invitò a pranzo nella sua villa due parenti, e al momento della frutta li fece assassinare; per questo nel Trecento si usava dire, per indicare di essere stati traditi, «avere della frutta di frate Alberigo»; il quale ora riceve «dattero per figo», pan per focaccia.

Dante è sorpreso: a lui risulta che il frate gaudente sia ancora vivo. Ma qui nella Tolomea l'anima dei dannati precipita appena commesso il tradimento, prima che Atropo tagli il filo della vita, cioè prima che muoiano; e sulla Terra resta il loro corpo, abitato da un demonio. Una pena terrificante, contraria alla dottrina cristiana, che considera sempre possibile il pentimento, come Dante stesso ci racconterà nel Purgatorio. Ma tradire un commensale con cui si divide la tavola è particolarmente grave; perché la mensa è il simbolo dell'amore tra gli uomini, fin dai tempi dell'Ultima Cena. Non a caso, secondo la tradizione, l'anima di Giuda andò all'Inferno non appena egli ebbe mangiato il pane offertogli da Gesù, che aveva intuito il suo tradimento. E forse è proprio questa leggenda a ispirare l'invenzione di Dante.

Anche l'ombra che passa l'inverno dietro ad Alberigo è precipitata da anni nel ghiaccio infernale, mentre il corpo cui apparteneva è ancora vivo. Il frate ne rivela il nome: è Branca Doria, della grande famiglia genovese, che però svolse la sua attività politica in Sardegna. Aveva sposato la figlia di Michele Zanche, il sardo che abbiamo incontrato tra i barattieri. Michele Zanche era signore del Logudoro, il territorio nordoccidentale dell'isola, dove sorgono Sassari e Alghero. Per impossessarsi delle sue terre, Branca Doria lo invitò a un banchetto, e lo fece assassinare con tutto il suo seguito.

Dante non riesce ad accettare questa bizzarra legge, e dice a frate Alberigo che si sbaglia: Branca Doria non è morto, «e mangia e bee e dorme e veste panni» (in un solo verso sono racchiuse le principali attività dell'uomo). Ma Alberigo insiste: prima ancora che Michele Zanche finisse nella pece tra i barattieri, il suo assassino era già arrivato quaggiù. Da notare che Branca Doria era ancora vivo quando fu pubblicata la Divina Commedia; e poté leggere della sua condanna.

Ora il frate vorrebbe che Dante mantenesse il patto: «Distendi oggimai in qua la mano;/ aprimi li occhi». Ma il poeta rifiuta; «e cortesia fu lui esser villano». Una tale mancanza di pietà è rara anche per l'Inferno; con i sodomiti, ad esempio, Virgilio aveva raccomandato a Dante di comportarsi con gentilezza. Ma essere cortese con un traditore, che ha umiliato l'umanità, sarebbe mancare di cortesia verso l'uomo e verso Dio. Qui Dante torna profeta biblico: dopo Pisa, lancia un'invettiva contro i genovesi, uomini estranei a ogni costume buono, pieni di ogni vizio; tanto che, scrive il poeta, nell'Inferno «trovai di voi un tal, che per sua opra/ in anima in Cocito già si bagna,/ e in corpo par vivo ancor di sopra».

Ventisette

A riveder le stelle

Dove Dante si arrampica sul pelo di Lucifero
e dopo la notte infernale respira di sollievo

L'ultimo canto comincia così: «Avanzano i vessilli del re dell'Inferno...». Virgilio lo dice in latino: «Vexilla regis prodeunt inferni». Le prime tre parole sono tratte da un inno sacro dell'alto Medioevo, in cui le insegne che avanzano sono quelle di Cristo re. Ma Dante le trasforma nelle insegne del re dell'Inferno: Lucifero.

Siamo arrivati nel punto più basso del mondo, e del viaggio. Questa è la Giudecca, dove sono puniti coloro che tradirono i benefattori. Dante non può parlare con nessuno: i dannati sono sommersi nel ghiaccio, non spunta neppure il capo. Alcuni sono supini, altri dritti, altri ancora a testa in giù, o piegati ad arco, con i piedi che toccano il volto.

Non si vede quasi nulla, come quando la terra è velata dalla nebbia o dall'oscurità. Al poeta sembra di indovinare un mulino girato da un vento impetuoso; e si stringe dietro alla sua guida, per ripararsi.

«Ecco Dite» indica Virgilio, che chiama il re dell'Inferno sempre con il nome classico, lo stesso dell'Eneide. «Dite» per gli ebrei è Satana, per i cristiani Lucifero. E ora Dante si rivolge a noi, dicendo: non chiedetemi quanto io sia diventato «gelato e fioco»;

non lo scrivo, perché qualsiasi parola sarebbe inadeguata; vi basti sapere che «io non mori' e non rimasi vivo».

L'imperatore del doloroso regno spunta dal ghiaccio dal petto in su. Per dare un'idea delle sue dimensioni, il poeta spiega che può confrontare il proprio corpo con quello di un gigante, più di quanto un gigante si possa confrontare con un braccio di Lucifero: in altre parole, c'è meno sproporzione tra un uomo e un gigante, che tra un gigante e un braccio del diavolo. Se egli fu tanto bello come ora è brutto, e tuttavia si ribellò al suo creatore, allora è giusto che da lui provenga ogni male.

Lucifero ha una sola testa, con tre facce: quella davanti è rossa, infiammata d'ira impotente; la sinistra è nera, simbolo di ignoranza; la destra è «tra bianca e gialla», giallastra, come l'invidia. Rispetto a Dio, il diavolo è opposto e speculare, come un'immagine rovesciata in uno specchio. Anche lui ha una sua oscena trinità: alla potenza, alla sapienza e all'amore corrispondono appunto l'impotenza, la stoltezza, l'odio.

Sotto ogni faccia spuntano due ali da pipistrello, più grandi di qualsiasi vela. Lucifero quindi ha sei ali, come i serafini, a ricordo dell'angelo che è stato; e sbattendole crea il vento che ghiaccia il lago dei traditori. Con sei occhi piange, e da tre menti «gocciava 'l pianto e sanguinosa bava». In ogni bocca maciulla con i denti un peccatore.

Il primo, con la schiena scorticata dai graffi, è Giuda Iscariota, che ha il capo nelle fauci e le gambe di fuori. Gli altri due, di cui spuntano le teste, sono Bruto e Cassio.

Dante non ha per loro nessuna pietà. Altre interpretazioni letterarie sono state più benevole verso questi personaggi. Ne L'ultima tentazione di Cristo, il capolavoro di Nikos Kazantzakis, Giuda agisce su richiesta di Gesù, per avverare le Scritture, per fare di lui un martire e il messia che lava i peccati dell'umanità. E George R.R. Martin, l'ispiratore del Trono di Spade, ha ricordato che, secondo Shakespeare, Bruto e Cassio erano i più nobili tra i Romani, perché pagarono con la vita il tentativo di salvare la Repubblica. Ma Dante non la pensa così. Giuda ha tradito il massimo benefattore dell'umanità, Gesù. Bruto e Cassio hanno assassinato il loro protettore Cesare, il padre dell'Impero, che nella visione della Commedia rappresenta l'ordine politico dato da Dio all'uomo.

I tre traditori sommi non sono soltanto figure in carne e ossa, ma simboli. Rappresentano la ribellione ingiusta a Dio e all'autorità legittima. A ben vedere, non è molto più che un simbolo lo stesso Lucifero, così totalmente disanimato. Nessuna relazione si crea con lui; anzi, Virgilio e Dante lo usano come una scala, arrampicandosi sul suo pelo per uscire dalle viscere della Terra e riaffacciarsi alla luce.

Lucifero non è davvero vivo. È una macchina disumana. È la parodia di Dio: confitto al centro del mondo, mentre il Signore regna nei Cieli; imprigionato nel ghiaccio, l'opposto della fiamma dell'Empireo; e il vento gelido che spira dalle sue ali è il contrario del soffio infuocato dello Spirito Santo.

Tutti i demoni dell'Inferno dantesco sono macchine o simboli. Cerbero, Minosse, Flegiàs, il Minotauro, Pluto, Gerione, i giganti non sono davvero spaventosi. L'Inferno è negli uomini. L'abisso più profondo è quello dell'animo umano. Per questo l'Inferno finisce davvero con il conte Ugolino, con la sua storia in cui l'amore e la speranza sono distrutti dall'odio e dalla disperazione. Adesso è tempo di riveder le stelle.

Virgilio torna a mettere fretta a Dante: «La notte risurge, e oramai/ è da partir, ché tutto avem veduto», non resta nulla da vedere. È la notte del sabato santo. Il viaggio infernale è durato appena ventiquattr'ore.

Dante si avvinghia al collo di Virgilio, che attende il momento giusto, quando le ali di Lucifero sono spalancate, per aggrapparsi alle costole ricoperte di pelo. Così i due poeti raggiungono il punto dove la coscia del diavolo si unisce all'anca.

Qui accade una cosa strana. Virgilio, «con fatica e con angoscia», quindi con difficoltà fisica e morale, gira il capo, si mette insomma a testa in giù, e riprende a salire, al punto che Dante ha la sensazione di tornare nell'Inferno. Ma Virgilio lo invita a levarsi in piedi, e a imboccare un pertugio in fondo al quale si intravede una luce, un cunicolo che li porterà fuori dal regno del male. Dante ora vede il diavolo capovolto. E, proprio come noi lettori, non si raccapezza. Che fine ha fatto il ghiaccio? Come fa Lucifero a stare così sottosopra? E perché sta per spuntare il nuovo giorno? Come mai il sole ha già fatto il viaggio dalla sera al mattino?

Virgilio, ansimando per lo sforzo, spiega cos'è accaduto. Dante ha appena passato «'l punto/ al qual si traggon d'ogne parte i pesi»: il centro di gravità del mondo. Per questo i due poeti si sono dovuti capovolgere: per ritrovarsi nella posizione naturale dell'uomo. Ora hanno sulla testa l'emisfero celeste opposto a quello che copre le terre abitate; e infatti vedranno stelle mai viste da nessuno. (All'epoca si credeva infatti che le terre fossero riunite in un solo emisfero, e che nell'altro non ci fosse che mare.)

Qui, alla fine della prima cantica, Virgilio spiega compiutamente a Dante come sono fatti il cosmo e il regno dei morti. L'Inferno è una gigantesca voragine aperta sotto Gerusalemme, dove fu crocifisso Gesù; il Purgatorio è un'altissima montagna che sorge agli antipodi, in mezzo all'oceano.

Tutto ha avuto origine dalla rivolta di Lucifero, e dalla caduta degli angeli ribelli. Un tempo la terra emersa era dall'altra parte del mondo, dove si trova ora Dante. Ma quando il diavolo precipitò, la terra si ritrasse davanti a lui, si inabissò, e riemerse nel nostro emisfero, quello appunto di Gerusalemme, e di Roma. Nello stesso tempo, si ritrasse la terra che si trovava lungo il suo percorso, a formare la montagna del Purgatorio.

È stato quindi Lucifero a rovesciare l'ordine dell'universo. All'origine la terra era nell'emisfero australe, quello dell'Antartide: la dimensione della purezza, dell'innocenza, della pace. La caduta del principe del male ha spostato la terra nell'emisfero boreale: quello dell'esilio, del peccato, della colpa, dove non a caso gli uomini hanno ucciso il figlio di Dio. La gravità, figura del male, schiaccia il diavolo al centro della Terra; mentre Beatrice farà volare Dante in Paradiso, senza che lui se ne accorga, con la levità propria della redenzione.

Allo stesso modo, è stato Satana a dare inizio alla storia dell'uomo: Adamo ed Eva vivevano felici nell'Eden, che è in cima alla montagna del Purgatorio; ma il serpente tentatore li convinse a cogliere il frutto dell'albero della conoscenza del bene e del male, sfidando così Dio, che li cacciò dal dolce giardino per farli vivere sulla Terra, esposti alla tentazione e al dolore.

Questa idea del male come demiurgo del mondo, come iniziatore della storia, può sembrare ed è inquietante. Ma la Divina Commedia è una vicenda di riscatto e di speranza. È un viaggio morale, all'interno di noi stessi; ed è anche un viaggio fisico. Per questo Dante è così generoso di dettagli, racconta la fatica, descrive le asperità del terreno, ci informa sull'ora del giorno e sulle costellazioni che vede; e quando il racconto si fa incredibile, il poeta si rivolge direttamente ai lettori, ci coinvolge nella storia, condivide con noi le emozioni, cerca la nostra simpatia.

Ora dall'Inferno siamo fuori. Lo sforzo di passare il centro della Terra e sbucare dall'altra parte è stato gravoso, anche dal punto di vista spirituale. Dante ha compiuto un cammino di conversione e di rinascita; e ora è tornato nell'emisfero delle origini, la terra della concordia tra l'uomo e Dio, e tra l'uomo e i suoi simili.

Questo è il significato della celebre espressione che conclude l'Inferno: «E quindi uscimmo a riveder le stelle». Man mano che ci si allontana dal regno di coloro che sono morti per sempre, la natura riprende vita: si sente il mormorio di un ruscelletto, ricompare il «chiaro mondo», si vedono «le cose belle che porta 'l ciel»; e anche i versi della Commedia, prima cupi e ansiosi, si fanno musicali e vivi.

La scena apparirà più chiara nel primo canto del Purgatorio. Non più «aura morta»; il cielo è tinto da un «dolce color d'oriental zaffiro», un'alba orientale, quasi una nuova creazione. «Lo bel pianeto che d'amar conforta / faceva tutto rider l'oriente»: Venere, il pianeta dell'amore, rischiara il cielo. Virgilio cerca un punto non ancora illuminato dal sole, pone le mani sull'erba bagnata, e con la rugiada rinfresca il volto di Dante, che ha ancora le guance bagnate di lacrime e annerite dalla cupa aria infernale. Quello che Bonaventura da Bagnoregio, il successore di san Francesco, ha chiamato nel titolo di un suo libro l'«Itinerarium mentis in Deum», il viaggio della mente verso Dio, è compiuto. Non è stato un sogno, né una visione; è tutto vero, o comunque credibile.

Per Dante, e per noi, è il momento del sollievo. Di riveder le stelle, appunto. Con la stessa parola termineranno anche le altre due cantiche, il Purgatorio e il Paradiso: le stelle sono il segno del vero destino dell'uomo, del suo slancio verso l'alto, della sua aspirazione all'ascesa.

Interpretare un poema antico di oltre sette secoli alla luce del presente sarebbe sbagliato. Ma lo sarebbe anche ignorare l'eterna giovinezza della Divina Commedia. La poesia di Dante si rivolge a ogni generazione di lettori, e quindi parla anche di noi, del tempo che ci è dato in sorte. E a ognuno di noi consente di pensare che il peggio sia alle spalle. Che il meglio debba ancora venire, per le nostre vite e per la nostra comunità nazionale, di cui Dante – poeta dell'umanità – può considerarsi il fondatore; perché ci ha dato non soltanto una lingua, ma soprattutto un'idea di noi stessi.

Esserne consapevoli, e dimostrarsene all'altezza, sarebbe già una gran cosa. È l'augurio che faccio a me stesso e a voi, al termine di questo vorticoso viaggio che abbiamo compiuto inseguendo il genio inquieto di Dante Alighieri, che ci ha lasciati – ma non del tutto – settecento anni fa.

Debiti

Il mio Virgilio nell'Inferno di Dante è stata Anna Maria Chiavacci Leonardi, studiosa scomparsa nel 2014. Tra le decine di commenti che ho consultato, il suo mi è parso il più ricco; ed è stato quello su cui ho lavorato (nella versione pubblicata dagli Oscar Mondadori).

Altrettanto numerosi sono gli studi sulla vita di Dante. Io ho amato, e utilizzato per la stesura di questo libro, in particolare «Dante. Una vita in esilio» di Chiara Mercuri, pubblicato da Laterza.

Ho tenuto per un anno sul comodino un'affascinante opera di 1226 pagine, «L'Italia di Dante. Viaggio nel Paese della "Commedia"» di Giulio Ferroni (La nave di Teseo), consultandolo di tanto in tanto.

La seconda delle due citazioni che aprono il libro (la prima è di Borges) è tratta da «In cammino con Dante» di Franco Nembrini, edito da Garzanti.

La letteratura sul grande poeta è ovviamente sterminata. A dire il vero, da non specialista ho cercato un rapporto più diretto possibile con le parole di Dante; in fondo era già (quasi) tutto lì. Se vi sono echi con altri libri, sono casuali. L'eternità della Divina Commedia, come della grande poesia, sta proprio negli echi che è in grado di suscitare attraverso i secoli, «finché il sole risplenderà su le sciagure umane».

Mondadori Libri S.p.A.

Questo volume è stato stampato
presso ELCOGRAF S.p.A.
Stabilimento - Cles (TN)

Stampato in Italia - Printed in Italy